Ordinary Affects

ORDINARY AFFECTS by Kathleen Stewart

투명한 힘

꿈、 유령 혹은 우리가 일상이라고 부르는 것

캐슬린 스튜어트 지음
신해경 옮김

밤의책

아리아나 클레어 스튜어트에게 바친다

차례

일러두기

1. 이 책은『Ordinary Affects』(Duke University Press, 2007)를 우리말로 옮긴 것이다.
2. 원서의 주는 미주로 표기하고, 옮긴이 주는 각주로 표기했다.

옮긴이의 말

어느 문화인류학자의 연구 일지

고대 그리스의 대리석 신전과 조각에 원래 색이 칠해져 있었다는 사실은 이제 널리 알려진 상식이 되었다. 복원도를 볼 때마다 낯설고 당황스럽긴 하지만, 순백의 대리석 신전과 조각상을 지고한 미의 기준이자 잃어버린 이상향의 상징으로 생각했던 옛 서구 학자들과 예술가들이 이 사실을 알았더라면 우리 삶이 어떻게 변했을까 궁금해지기도 한다. 아마 완전히 지금과 똑같지는 않으리라.

과학 기술의 발전 덕분에 아크로폴리스와 아고라에 알록달록하고 화려한 건물과 조각상이 늘어서 있었다는 걸 알게 되었어도, 고대 그리스인들의 일상을 이해하는 일은 여전히 쉽지 않다. 시간이 지나며 단단하고 마르고 굳은 것들은 남고 부드럽고 촉촉하고 무른 것들은 사라지기 때문이다. 돌덩이는 남고 안료는 사라지고, 그릇은 남고 음식은 사라지고, 뼈는 남고 살은 사라진다. 실체 있는 것도 그러한데, 하물며 실체 없이 흐르고 쇄도하고 출렁이는 것들은 어떠하겠는가.

인류학이 어려운 이유가 그래서일 것이다. 특히 인간의 생활 방식이나 사회 관습 및 제도를 비롯하여 언어, 학문, 예술, 종교와 같은 문화적 전통과 발달 과정을 비교 연구하는 문화인류학은 고대 그리스처럼 남은 유물이 풍부한 문화를 놓고도 곤란을 겪는다. 당시 사람들이 한 사회의 구성원으로서 겪고 살아낸 감정과 느낌의 역학을 재구성해낼 수 없기 때문이다. 고대의 건축물, 조각상, 그릇, 무기들은 남아 있지만, 더 부드러운 것들, 음식, 옷가지, 체온을 지닌 살덩이 같은, 우리 일상에 더 가까웠을 것들은 남아 있지 않다. 그보다도 더 삶 자체에 가까웠을 기쁨과 슬픔, 공포, 죄책감, 분노, 의심, 미움과 같은 감정, 집단적/사회적 존재로서의 인간이 매일 겪었을 정서적 부침과 그 궤적은 글로 박제된 것 말고는 흔적조차 찾을 수 없다. 그리고 글에서는 언제나 많은 것이 누락된다.

이 책의 원제에 쓰인 Affect는 까다로운 단어다. 동사로 쓰일 때는 '영향을 미치다, 작용하다'라는 뜻인데, 반응을 일으키는 강력한 자극을 전제하며 직접적이고 결정적인 영향을 준다는 뉘앙스를 가진다. 명사로 쓰일 때는 일반적으로 '감정, 정서, 정념'을 뜻하지만, 이 책 원제에 쓰인 Affect와 직접적으로 관련된 것은 스피노자affectus에게서 기원하여 알튀세르, 들뢰즈, 네그리, 하트 등의 현대 철학자들이 적극적으로 사용하는 '정동情動' 또는 '감응'으로서의 Affect일 것이다.

스피노자에 따르면 정동은 흐름으로만 관찰되는, 흐르면서 개인들의 몸을 관통하며 서로 공명시키는 감각의 지속이다. 이를 통해 개별적인 몸으로 존재하는 우리 인간들은 순식간에 서로 동화하여 유사한 감정을 공유하며, 외적으로도 유사한 행동을 취하게 된다. 내게 호감을 보이는 타인에게 호감을 느끼게 된다든지, 과열된 응원전이 순식간에 폭동으로 번지는 경우를 생각해 보라. 인간은 정동의 흐름이라는 잠재성으로 인해 다른 인간과 사회, 국가로 연합되는 것이고, 이런 측면에서 보면, 인간은 이성과 판단뿐만 아니라 욕망과 충동이라는 정서적 측면에서도 본래부터 사회적이다.

이미 구축된 현실을 규정하는 법이나 제도, 관습과 상식 등은 이런 정동을 특정한 방향으로 굴절시키는 고정된 궤도나 회로 같은 것이며, 정동적 인간이며 정동에 예속된 우리는 그렇게 굴절되어 회전되는 한 사회의 정동으로부터 자유로울 수 없다. 이 사회와 저 사회가 다르다고 할 때, 어떻게 보면 핵심은 이 정동의 흐름과 역학의 차이일 것이며, 이 인간 정동의 흐름을 종합적으로 그려내는 것이 어쩌면 인류학의 목표이자 꿈일지도 모른다. 문제는 이 정동의 흐름을 파악하는 일이 무척이나 어렵다는 것이다. 실체 없이 흐르고 쇄도하고 출렁이는 것이기 때문이다.

저자가 이 책에서 시도하는 것이 바로 이런 인류학이다. 저자는 '지금'의 '우리 사회'와 크게 다르지 않은 '현재'의 '미국 사회'를 구성해나가는 힘으로서의 정동을 가장 생생한 모습으로 포착하고자 한다. 정동은 진부하고 평범한 일상의 보이지 않는 틈새에서 흐르고 비상하고 표류하는 들썩이는 어떤 힘이다. 평범하고 진부하며 언뜻 지루해 보이는 우리 일상은 이런 정동이 작용하는 공간이며, 우리 몸은 그것이 관통하며 폭발적으로 쇄도하고 집적되며 때로는 극단적 궤도로 나아가기도 하는 회로이자 기계이다. 우리의 무의식은 정동에 공명하고 반발하고 부딪치고 재현하며 그 반향을 전달하거나 단절하거나 증폭하거나 굴절시키고, 우리의 정체성은 그때마다 새로이 구축된다.

하지만 정동의 흐름은 그 자체로 감각되지 않는다. 사람과 사람의 만남이나 이 제도와 저 관습의 충돌 같은 사건을 통해서만 반짝 드러난다. 마치 종소리처럼 어떤 충격이 가해졌을 때 반향으로서 잠시 모습을 드러내는 것이다. 저자는 이처럼 언어로 포착될 수 없는 것을 포착하기 위해 그 사건의 현장을 그대로 옮겨 놓으려 시도한다. 그것은 '그것', '이것', '어떤 것', '무언가' 등으로 모호하게 지시될 수밖에 없고, 이 책에 쓰인 모든 단어와 개념의 행간이나 여백 어딘가에 있을 수밖에 없다. 그리고 그렇게 포착된 사건은 늘 유일무이하고 일회적이다.

실체 없는 것을 사람과 사람, 제도와 관습의 충돌 사건에 비춰 포착하려는 저자의 시선은 말로 표현되지 않는 것, 개념과 개념 사이에서 누락된 무언가를 찾으려는 시인의 응시를 닮았다. 시 같기도 하고, 소설 같기도 하며, 관찰일지 같기도, 기사 같기도 한 이 짤막짤막한 글들에서 느껴지는 저자의 시선은 고요하기까지 하다. 그리하여 이 책은 독자들에게도 '응시'를, 그것도 미학적인 응시를 요구한다. 이 응시를 통해 우리는 이성과 개념이라는 수단으로는 지각되지 못하고 인식되지 못하고 실현되지 못하며, 늘 모호한 느낌으로 우리 무의식에 정서적 흔적만 남기는, 혁명적인 동시에 반동적인, 무시무시한 힘이 작용하는 충돌 공간으로서의 일상을 완전히 새로운 방식으로 인식할 수 있을 것이다. 그리고 그 일상을 살아내는 우리 몸을 관통하며 공명시키는 정동을, 나를 타인과 사회와 국가로 연결하는 그 정동을 인지할 수 있을지도 모른다.

이 낯선 인류학 보고서는 지금 우리가 살아내는 현대 산업 사회를 썩 훌륭하게 종합해낸다. 그래도 굳이 다른 전통적인 분류법을 들이대어야 한다면, 나는 '시집'이 되어야 마땅하다고 생각한다.

신해경

서문

투명한 힘

이 책은 어떤 결론이 아니라 하나의 실험이다. 이미 널리 알려진 세계상世界像에 부합하는 사실들을 밝히고 해명하기보다 다양한 추론과 호기심, 구체적인 상황에 집중함으로써, 이 책은 당연한 일 또는 충격, 호응 또는 반발의 형태로 가시화되는 여러 힘의 존재에 주목하고자 한다. 하나의 사건이자 하나의 느낌으로서 '무언가'가 순식간에 구성된다. 그 자체로 살아 있는 동시에 다른 것을 품어 살릴 수 있는 '무언가'가.

이 책의 무대는 언젠가부터 시작된 '현재'에 걸린 미국이다. 하지만 이 책은 새로 등장한 이 '현재'를 지시하는 '신자유주의', '선진 자본주의', '세계화' 같은 용어들은 물론이요, '현재'를 간추려 정의하는 데 쓰이는 대여섯 또는 열

개 남짓한 형용사들도 그 자체로는 우리도 모르게 처한 이 '현재'를 설명해주지 않음을 시사한다. 총체적 체계라는 개념, 즉 모든 것이 늘 어떤 식으로든 체계에 속해 있다는 개념은 기울어지고 비틀거리는 현재에 접근하려는 노력에 (좋게 말해서) 도움이 되지 않는다. 그렇다고 이들 체계가 이름 붙이려는 힘들이 실재하지 않는다거나 위압적이지 않다는 뜻은 아니다. 오히려 나는 무고한 세계에 강제된 불변의 결과로서가 아니라 내재적 힘이 작용하는 현장으로서 그 체계들을 가시화하려 한다.

일상이란 실행과 실천적 지식의 유동적인 조합이고, 활력과 소진의 현장이며, 탈출 또는 보다 단순한 삶을 갈망하는 꿈이다.[1] 일상적 정동은 영향을 주고 영향을 받는, 이리저리 변주되고 격동하는 능력으로서, 매일의 삶에 끊임없이 변화하는 관계와 상황과 우연과 위기라는 성질을 부여한다.[2] 일상적 정동은 그냥 생겨난다. 충동에서, 감각에서, 기대에서, 백일몽에서, 마주침에서, 관계를 맺는 습관에서 생겨나고, 전략과 그 실패에서, 설득과 전염과 강박의 형태에서, 주목과 애착과 작인作因의 방식에서, 대중 속에서, '어쩐지 중요하게' 느껴지는 사람들을 무언가에 연루시키는 온갖 사회관계 속에서 발생한다.[3]

일상적 정동은 대대적인 사회적 유행에서 시작되고 끝나

는 대중적 감정이면서, 내밀한 삶들을 구성하는 것처럼 보이는 성분이다. 이것은 유행과 전파에 생명의 형태를 부여한다. 이것은 경험하는 사람에게 기쁨과 충격, 공허한 정지 상태나 발목을 잡는 강한 역류, 순식간에 일어난 감정이나 깊은 혼란일 수 있다. 이것은 우스울 수도, 당황스러울 수도, 정신적 고통일 수도 있다. 가능성의 고정된 조건들이 아니라 순식간에 구성된 '어떤 것'이 행위를 상기시키고 착수하게 가능성의 실질적인 흐름에 기초한 이것은 우리가 겪은 특이하거나 평범한 일상의 방점이자 아무 제약이 없을 경우에 힘들이 그렸을 궤도로도 보일 수 있다. 한편으로는 이것은 레이먼드 윌리엄스•가 말한 감정 구조structure of feeling••와 비슷한 '용해된 사회적 경험'이며, "정의나 분류, 이론적 설명을 기다릴 필요 없이 명백한 압력을 행사"[4] 한다. 롤랑 바르트가 '제3의 의미'라 부르는 것들처럼, 이것은 의미론적 메시지와 상징적 표시가 가지는 '명확한 의미'와는 대조적으로 내재적이고, 무디고, 변덕스럽다.[5] 이것은 본래 '의미'를 통해서가 아니라 몸과 꿈과 드라마와 모든

• 레이먼드 윌리엄스(1921~1988)는 영국 웨일스 출신의 마르크스주의 이론가이자 학자, 비평가이다.

•• 레이먼드 윌리엄스는 『기나긴 혁명The Long Revolution』(1961)에서 감정 구조를 특정 문화가 지닌 특별한 삶의 감각이라고 정의했다.

종류의 사회적 관계 맺기를 통해 움직이며, 밀도와 질감을 습득하는 방식으로 작동한다. 이것이 구축하는 강도强度•들 속에, 그리고 이것이 가능하게 만드는 생각과 느낌들 속에 이것의 의의가 있다. 이것이 제기하는 질문은, 이것이 표상의 질서 안에서 무엇을 의미하는가도 아니며 이것이 세상의 지배 구조 안에서 좋은가 나쁜가도 아니다. 중요한 것은 이것이 어디로 갈 것인가이며, 이것 안에 세상에 대한 앎과 관계와 관여의 어떤 잠재적 태도들이 가능성과 공명共鳴의 상태로 이미 존재하는가이다.

그렇다면 일상적 정동은 힘을 전달하고 접속점과 경로와 단절점의 위치들을 그려내는 하나의 살아 있는 회로다.[6] 힘의 순환과 사건과 조건과 기술과 흐름의 다원 결정overdetermination이 일어나는 일종의 접촉 지대contact zone다. 일상적 정동에 천착한다는 건, 변덕스러운 동시에 굳건하고 간사하고 불안정하면서도 명백한 사물들 안에 힘들의 잠재력이 어떻게 내재하는지 더듬어보는 일이다. 일상적 정동은 추상적인 동시에 구체적이며, 이데올로기보다 훨

• 강도intensity는 들뢰즈가 구체적인 층위에서 차이적 관계가 개체화되는 것을 다루기 위해 도입한 개념으로, 힘의 차이를 표시하기 위해 사용된다. 표면에 새겨지는 강도의 양에 따라 차이적 관계는 개체적 차이로 구체화되며, 유기체 간의 차이는 강도로 설명될 수 있다.

씬 직접적으로 압력을 가할뿐더러 상징적 의미들보다 훨씬 까다롭고 다양하고 예측하기 어렵다. 일상적 정동은 하나의 고정된 분석 차원에 늘어놓을 수 있는 분석 대상 같은 것이 아니며, 분석적 주제와 개념과 세계 간 완벽한 삼중 병렬법에 가담하지도 않는다. 그보다는 이질적인 현장들과 부적당한 형태들과 특성들에서 나타나는 문제 또는 질문, 즉 가능한 관계들의 얽힌 지점이다. 말 그대로 움직이는 것, 늘 변하는 중이며 영향을 주고 영향을 받는 능력으로 정의되는 이것은 구성되고 전파되고 사건화되는, 서로 공존하는 다양한 형태들을 통해 측량되어야 한다. 일상적 정동은 전달되는 회로와 전달이 실패한 지점에서, 급변하는 움직임과 층층이 겹쳐진 어떤 장면의 질감에서 어렴풋이 '보일' 수 있다. 이것은 차오르거나 가라앉을 수 있다. 이것은 순식간에 만들어지는 어떤 것의 도약과 점점 퍼져가는 공감과 연결의 선들을 가리키며, 그 공감과 연결이 확산되고 감지되는 방식은 선명할 수도 있고 모호할 수도 있다.

사고 모형들은 일상에서 작동하는 '차이'의 살아 있는 표면에서부터 '더 큰' 구조와 숨은 원인을 따지는 이해 타산적 논쟁들로 미끄러지고, 그럼으로써 '현재'가 이질적이고 비일관적인 특이점들로 구성된다는 사실을 가린다. 그런 논쟁들은 누군가의 일상이 어떻게 실패를 견디거나 만회할 수 있는지를 놓치고, 아이의 학교 행사 일정이 바뀌거나 경찰이 집 안으로 들이닥치는 등의 사건에 맞닥뜨렸을 때 일상이 어떻게 방향을 틀 수 있는지를 놓친다. 누군가의 일상이 어떻게 '무슨 일이 일어나고 있다'라는 모호하지만 강렬한 의식이 되거나 아니면 자잘한 상상의 씨앗들로 영글 수 있는지, 어떻게 소중한 소유물로서 조심스럽게 보관되거나 아니면 썩도록 방치될 수 있는지, 어떻게 차갑고 어두운 경계로 변하거나 갑자기 희망적인 어떤 것으로 대체될 수 있는지를 놓치듯이 말이다.

말 그대로 우리를 타격하거나 견인하기 때문에 매혹적인 그 복잡하고 불분명한 것들에 다가가는 방법을 찾기 위해, 이 책은 표상적 사고와 가치 판단적 비평이라는 긴 여정으로 성급하게 뛰어드는 일은 가급적 늦추고자 한다. 여기서 내가 하는 작업은 마침내 그것들을 '아는' 것, 즉 그것들을 모아 무슨 일이 일어나고 있는지 알려주는 근사한 이야기를 엮어내는 것이 아니다. 그보다는 그것들이 보여주는 형태에 적합한 어떤 형태의 번지수를 상상해내는 것이고, 그것들을 살아 있게, 살 만하게 만들어주는 강도와 질감을 일부라도 구현함으로써 일상적 정동에 관하여 말할 수 있는 무언가를 찾아내는 것이다. 달리 말하자면, 일련의 특이점들을 연결하여 독특한 지도를 만드는 일이다.[7] 이는 이 책이 내적 완결성이나 선명성을 추구하거나 만족스러운 결말을 위해 상징을 남발하기보다는 언제나 외부의 평범한 세계를, 지금 구성되고 경험되고 있는 그 삶의 형식들에 주목함을 의미한다. 나는 이 책에서 분석을 위한 접촉 지대를 만들고자 한다.

이 글을 쓰는 일은 관심과 애착의 지점들과 형태들에 대한 면밀한 민족지학적 주목을 통해 일상의 강도에 다가가고자 하는 끊임없는, 종종 사람을 미치게 하는 노력을 요했다. 『투명한 힘』은 다양한 장면들을 모아놓은 하나의 아상블라주•로서, 책을 읽다 보면 숱한 궤도와 회로와 단절이 마구 얽힌 하나의 덩어리 속으로 이끌려 들어가게 된다. 각각의 상황은 그 상황의 정서에 따라 설정된 각도를 통해 일상에 새로이 접근하기 시작한다. 그리고 각 상황은 무언가 주목할 필요가 있는 일이 일어나고 있다는 감각을 일으키는 접선接線이다. 일상적 정동이라는 관점에서 보면 생각은 누덕누덕 기운 누더기이고 물질이다. 생각은 마법적인

• 아상블라주assemblage는 프랑스어로 집합, 집적을 뜻하는 단어로, 다양한 물체의 집적을 통해 3차원 입체의 형태로 작품을 조형하는 예술 기법을 일컫는다. 종이나 천 조각 등을 캔버스에 붙인 큐비즘의 콜라주 기법에서 큰 영향을 받았다.

결론에 이르기는커녕 결론을 찾으려는 시도조차 하지 않는데, 아마 무슨 일이 일어나고 있는지 상상하는 것만으로도 벅차기 때문일 것이다.

이 책은 이론적인 범주들과 실제 세상 간에 조심스럽게 연결선을 그어주는 믿음직한 안내서가 아니라, 충돌과 호기심과 마주침의 지점 자체다. 나는 저자로서의 정체성과 단순한 존재의 백일몽으로서 생겨나는 주체 간의 차이를 드러내기 위해 이 책에서 나 자신을 '여자'라 지칭한다. '여자'는 딱히 주체적 입장이 아니며, 하나의 접점으로 정의할 만한 것을 열정적으로 찾는 대리인이라고도 볼 수 없다. 여자는 납작하고 완성된 진실이 아닌, 특정한 장면에 담겨 있을 법한 어떤 것에 조응하려는 노력 속에서 가시화되는 어떤 가능성을(그리고 위협을) 응시하고 상상하고 느끼고 겪고 행하고 주장할 뿐이다.

일상적 정동이라는 관점에서 보면, 서사나 정체성 같은 것들은 서로 다른 움직이는 요소들로 이루어진 불확실하지만 강력한 구조가 된다. 어떤 사건이 펼쳐지기를 지켜보고 기다리는 것, 장면의 세세한 부분, 하나가 다른 하나로 이어지는 이상하거나 예측 가능한 전개, 잠시 쉴 틈을 주는 정물, 오래 남는 반향, 기호들이 질주하고 형식들이 전달되는 선들, 겹겹이 쌓인 내재적 경험의 결, 휴식이나 구원이

나 복수의 꿈. 힘과 의미의 형태들은 특이점에 자리 잡은 회로가 된다. 그것들을 좇으려면 이종異種의 장면들을 통해야 한다. 그것들은 서로 모여 우리가 이야기나 자아라고 생각한 것이 될 수 있다. 하지만 한동안 어떤 질주하는 상징 또는 그 질주 자체에 포함되었는가와는 별개로, 그것들은 흩어지고, 부유하고, 재결합된 상태로 남아 있을 수도 있고, 아니면 다시 분산되거나, 부유하거나, 재결합될 수도 있다.

1999년에 출간된 발터 베냐민의 『아케이드 프로젝트』는 이러한 사고의 전형이다. 물질적 세계에서도 여전히 공명하는 꿈의 세계에 관한 그의 파편적 기록과, 느슨한 아상블라주로 모인 오브제 조각들과 단편들에 해설을 붙이는 그의 글쓰기 과정, 그리고 대상들로부터 영향을 받기 위해 사고를 대상에 밀착시키는 그의 방식을 보라.

롤랑 바르트의 『S/Z』와 『사랑의 단상』도 좋은 본보기다. 언어와 사물의 활기와 즐거움과 시학에 대한 조응, 표상의 형태들이 지닌 방대하고 축소될 수 없는 성질에 대한 감각. 사물을 이루는 조각들에 대한 주목, 직접적인 접촉을 성립시키는 찌르는 듯한, 개인의 마음을 움직이는 세부 요소인 '푼크툼punctum'에 대한 생각 등이 특히 그러하다.

레슬리 스턴의 『흡연의 서』는 마주치는 상황들에 이론을 끼워 넣으면서 오직 흡연에 관한 언급들로만 묶인 짧은 허구 비평적ficto-critical• 이야기들을 모았다. 그 결과 정밀한 순간과 욕망의 상태를 단 하나의 가냘픈 선으로 이은 한 덩어리의 공명이 드러났다. 그 책은 대체로 알려지지 않은 연결들로 채워진 빽빽한 망으로서의 세계를 감지할 수 있는 구체적인 느낌을 독자에게 전달한다.
마이클 타우시크의 『나의 코카인 박물관』과 『국가의 마법』, 알폰소 링기스의 『위험한 감정』과 『낯선 육체』도 여기서 순환과 쇄도와 감각의 강도強度를 수행해내려는 허구 비평적 노력의 사례들로 기능한다.
D. J. 월디의 『성스러운 땅: 교외의 비망록』은 1950년대에 눈 깜짝할 사이에 '세상에서 가장 넓은' 택지로 조성된 캘리포니아주 레이크우드의 초현실적으로 현실적인 연대기다. 택지의 격자 구조처럼 월디의 비망록도 조각들이 모여

• 픽토크리티시즘Fictocriticism은 포스트모던하고 실험적인 글쓰기 양식의 하나로서, 픽션과 논픽션, 비평 등을 나누는 전통적인 구분을 없애고 여러 글쓰기 관행의 요소들을 하나의 텍스트 안에 구현함으로써 기존 문학의 경계를 무너뜨리고 확장하는 경향을 보인다. 페미니즘적 글쓰기에서 두드러지고 특히 오스트레일리아와 캐나다에서 열띤 호응을 얻고 있다. 이에 조응하는 한국어가 아직 제시되지 않아 임시로 '허구 비평'으로 옮긴다.

있다. 즉 개인적 서사와 동네 이야기와 부동산 개발사의 주요한 순간들이 담긴 단편들이, 독특하지만 흔한 일상의 형태라는 시멘트로 결합되어 하나의 구조물을 이룬다. 데이비드 서시의 『일반적 공포』는 평범한 풍경과 상황에서 생기는 환상에 대한 애착을 기발하게 펼쳐낸다. 이 밖에도 여러 소설들, 예컨대 에드워드 존스의 『알려진 세계』나 이언 매큐언의 『속죄』, 할레드 호세이니의 『연을 쫓는 아이』 등에서도 덜컹거리는 조응으로 가득한 세상의 장면들을 볼 수 있다.

마지막으로, 이 책은 로런 벌랜트가 '지금 이 순간'의 정서들에 관해 사고하고 글을 쓰는 방식에서 직접적으로 영감과 통찰을 얻었다. 로런 벌랜트의 글에서는 학문적 개념들이 뭔가 새롭고 유망한 것으로 거듭난다. 그녀의 글이 보여주는 밀도 높고 복잡한 감정적 조응에는 애착과 친밀함, 소진, 휴식 또는 단순한 삶을 향한 생생한 갈망의 개념뿐만 아니라 상황적인 것에 대한 개념 역시 내재되어 있다. 덕분에 나는 이 책에 실린 상황들을 계속해서 새로이 돌아볼 수밖에 없었다.

삼복더위

우리가 지켜본 지가 벌써 몇 년째다.
싸늘한 교외 주택가 도로에서 불꽃을 튀기는 끊어진 전선처럼 어떤 것이 갑자기 시야를 덮친다. 그 불안정한 몸부림을 홀린 듯이 쳐다보고 있을 수도 있다. 아니면 재빨리 떨쳐버린 다음 예정대로 아침 산책을 마칠 수도 있다. 반려견 공원으로 가는 길에 눈길을 주고 지나치면서.
공원에 가면 잡담이 오가고, 개들은 충전이라도 된 듯이 사방팔방 마구잡이로 뛴다.
그 번쩍거림은 진짜다.
그건 망상일 것이다.
개들이 움찔거리고 흠칫거리며 잠을 잔다. 그러다 불시에 깜짝 놀라 눈썹을 치켜들고 한쪽 눈을 뜬다. 고개를 괜스레 다리 밑에 파묻고는 고요한 밤 욕실 창문을 스치는 나뭇가지 소리에 낑낑댄다. 하지만 주인의 달래는 표정을 보거나 다정히 속삭이는 한마디를 듣거나 이마에 뽀뽀 한 번만 받아도, 아니면 설핏 옆을 스치는 다른 개의 꼬리를 느끼기만 해도, 개들은 순수하게 기뻐하며 다시 다리를 쭉 펴고 잠든다.

일상적인 시간으로 흘러들기

일상이란 밀려드는 감정, 부딪치거나 가까스로 모면한 충격들에 맞추며 살아낸 삶이다. 일상은 우리가 가진 모든 것을 취한다. 하지만 그 과정에서 착상된 일련의 작은 뭔가를 낳기도 한다.

일상은 점점 신중해지고 격해진다.

일상에는 집세를 모으거나 집을 수리하거나, 엉망진창이 됐다가 회복하거나(아니면 못 하거나), 연인을 찾거나(아니면 못 찾거나), 어디엔가 합류하려 애쓰거나 아니면 합류했던 것에서 벗어나려 애쓰거나, 장을 보거나, 바라거나, 원하거나, 후회하는 온갖 시시콜콜한 이야기가 있고, 배제와 포용, 나와 남, 옳고 그름, 이곳과 저곳의 온갖 고통이 있다.

일상은 강도强度를 기록한다. 자주, 되풀이해서, 다급하게, 또는 살짝 진저리를 치면서.

우리는 단순한 삶을 소망하고, 그 단순한 삶은 다른 누군가의 아름다운 꽃밭에서 우리에게 윙크를 보낸다. 우리는 다른 운전자들에게 가운뎃손가락을 치켜들고, 지하철이나 거리에서 마주치는 이상하거나 멋진 인물들에게 시선을 빼앗긴다. 뉴스는 제목만 훑어보고, 밤에는 감미로운 소설과 정신이 번쩍 드는 회고록을 딱 두 쪽 읽고 곯아떨어진다. 우리는 모종의 재미나 강박에 빠져, 아니면 말 그대로 무감각 상태에서 오후 내내 햄버거를 뒤집거나 도표를 정리하며 몇 시간을 그냥 흘려보낸다.

주의는 산만해지는가 하면 어디론가 끌려 나간다. 하지만 주의가 깨어 있는 것도, 주의가 '주의'하게 만드는 것도, 이 끊임없는 외부로부터의 끌어당김이다. 혼란스럽지만 익숙하다.

운이 좋으면 우리는 바쁘다.

어떤 이들에게 일상은 간간이 사건을 만났다 돌아오며 꾸준히 이어가는 지속 과정이다.

어떤 이들에게 일상은 잘못된 선택 한 번이면 끝장나는 것이다.

어둠 속에서 걱정이 사람들을 휩싸고 돈다.

사람들은 텔레비전 낮 방송을 보면서 안정을 찾는다.

직장 일과 아이들 방과 후 활동을, 또는 거실에서 조용히 술을 마시며 죽음을 재촉하는 남편을 건사하기 위한 시간표들이 공사장 비계飛階 쌓이듯 쌓인다.

우리는 그럭저럭 살아내기를, 제 궤도에 오르기를, 이 모든 것에서 떠나기를, 정신을 차리기를, 잘하는 게 있기를,

체제를 무너뜨리기를, 자기 자신이 되기를, 죽기를 꿈꾼다.
하지만 그보다 먼저 우리는 부딪치고, 아니면 피한다.

별다를 것 없는 사소한 사고

어떤 상황이나 사건을 대하는 방식에서 여러 사회성과 정체성, 꿈의 세계, 물질적 상태, 그리고 온갖 종류의 대중적 감정이 생겨난다.
그중 어느 것도 마냥 좋거나 나쁘기만 한 것은 없다. 언제나 섞여 있고, 언제나 강력하다.
여자는 서부 텍사스의 어느 조그만 동네 카페에 있다. 농장주들이 종자대와 비료 얘기를 하며 노닥거리고 읍내를 지나는 이방인들이 반가운 화젯거리가 되는 그런 곳이다. 저물녘, 여자가 도축된 지 얼마 안 된 스테이크와 구운 감자를 반쯤 먹었을 때, 오토바이 여행자 한 쌍이 절뚝거리며 카페로 들어온다. 일제히 모두의 시선이 탁자로 가서 앉는 둘을 향한다. 머리카락이 마구 헝클어지고 옷도 구겨지고 찢어졌다. 둘은 놀란 표정으로 주위를 둘러보거나 하지도 않고 바로 긴밀한 대화로 빠져든다. 여자가 나가는 길에 그들 곁을 지나는데, 둘이 고개를 들더니 서쪽 도로로 갈 예정이라면 오토바이 부품이 있는지 찾아봐달라고 부탁한다. 읍내로 들어오는 길에 사슴을 치는 바람에 오토바이를 놔두고 왔다는 얘기다. 사슴은 그보다 훨씬 큰 대가를 치렀다고 한다.

실내가 죽은 듯이 고요해진다. 모두의 눈과 귀가 오토바이 여행자들의 몸 안에서 아직도 공명하는 충돌의 감각에 맞춰진다. 그러다 다들 천천히, 느긋하게 즐기면서, 앉은 자리에서 질문을 던지며 시시콜콜한 내용을 끌어내기 시작한다. 처음에는 그저 무슨 일이 일어났는지 알고 싶다는 단순한 바람이다. 하지만 일단 시작된 대화는 얽히고설킨 여러 이야기와 사회적 처세술로 확장된다. 다른 충돌 사고들과 거기 서쪽 도로에서 있었던 이상한 사건들에 관한 이야기들이 흘러나온다. 멀찍이 떨어져 앉은 몇몇이 시선을 마주친다. 서로를 알아보는 은밀한 미소가 오간다. 작은 의혹의 씨앗들이 싹튼다. 카페 안 현장이 영감과 실험의 일상적인 미로가 된다.

마치 그게 세상이 깜짝 놀랄 만큼 특이한 사건이라서 다들 골몰해 있던 개인적인 문제들과 사회적 관습의 부담 따위는 잊어버린 듯, 이런 비슷한 일이 일어나기를 내내 기다리고 있었던 듯하다. 가능성의 문구들로 사회성이 채워지고, 카페 안에는 불완전하나마 어떤 '우리'가 형성된다.

여자는 카페를 떠나며 앞으로 사람들이 서쪽 도로를 다닐 때마다 얼마나 눈을 부릅뜨고 오토바이 부품을 찾아볼지, 얼마나 더 많은 얘기가 오갈지 상상한다. 대화는 그 사건을 중심으로 좁혀지다가 사슴의 과잉 증식이나 헬멧 없이 오토바이를 탈 수 있도록 허가하는 새 법령 이야기로 확장될 것이다. 고속으로 주행하다가 헤드라이트 불빛에 놀라 얼어붙은 사슴과 부딪치면 어디가 어떻게 부서지는지, 또는 누가 수리를 잘하고 누가 형편없는지 등의 얘기가 나올 것이다. 아니면 이야기가 탁 트인 길을 달리는 기분으로, 또는 사막에서 다쳤을 때 살아남는 법 쪽으로 방향을 틀 수도 있고, 아니면 자유와 운명, 경솔함 같은 추상적인 관념들에 관한 얘기로 접어들 수도 있다.

하지만 그 사소한 사고는 어떤 식으로든 반응을 끌어낼 것이다. 아주 사소한 방식으로 사람들 삶의 궤적을 바꿀 테고, 1분 또는 하루 동안 말 그대로 경로를 바꿈으로써 삶의 궤적들을 변화시킬 것이다.

이 우연한 사건이 세상에 한 겹의 갈등 또는 백일몽을 더할 것이다. 오래된 원한을 다시 드러내거나 교훈을 찾아보게 만들 수도 있다. 행운이냐 불행이냐, 규제냐 자유냐, 폭주냐 상식이냐 하는 단순한 선택 또는 논쟁에 의식들이 모일지도 모른다. 그러나 이야기는 적어도 지금은, 그리고 모종의 사소한 방식으로는 미래에도, 사람들과 현장1들과 사회적 교류의 형태들 속에서 공명하는 사건 그 자체에서 본연의 힘을 끌어낼 것이다.

그리고 무슨 일이 일어나길 기다리는 버릇은 더 심해지리라.

주파수 고정

일상은 늘 어딘가의 어떤 사소한 일에 주파수가 맞춰진 회로다.
가능한 일들과 위협적인 일들에 몰두하는 상태로, 일상은 사물에 그 울림을 모은다.
일상은 자아, 의지, 집, 삶이라는 진부한 표현들을 통해 흐른다.
일상은 꿈으로 불쑥 튀어나온다. 아니면 탈선의 한가운데서 제 모습을 드러낸다. 아니면 그냥 잠시 멈춘 순간에서나.
일상은 공상의 날개를 타고 날아오르거나, 지지부진해지고, 질리고, 일시 중지될 수 있다.
일상은 정체성과 욕망이라는 작은 세상들 안에 고일 수 있다.
일상은 위험을 끌어들일 수 있다.
또는 우리를 세워둔 채 흩어져버릴 수도 있다.

여자는 어느 산골 마을을 방문 중이다. 비참할 정도로 가난한 이곳은 지독한 고정 관념이 악취처럼 떠돌아 공기마저 답답하다. 지나가는 이방인들은 경악을 금치 못하고 차 문을 걸어 잠근다.
지금 바비는 휘태커 가족이 걱정이다. 도시에서 오는 부유한 아이들 몇 명과 갈등을 빚어왔기 때문이다.
휘태커 가족은 인상이 험악하다. 사람들은 그들을 가리켜 산골 고정 관념의 화신이라 부른다. 여자는 그들을 처음 만난 때를 기억한다. 수년 전, 지역 보건소에서 파견한 의사와 함께 그들이 사는 조그만 판잣집을 방문한 때였다. 휘태커 부인은 울혈성 심부전을 앓았다. 부인이 퉁퉁 부은 발을 낡은 긴 의자에 올려놓고 앉은 사이에 말 못 하는 10대 소년 네댓 명이 몸짓으로 모종의 대화를 주고받으며 집을 들락거렸다. 그보다 어린 아이 서넛이 바닥에 놓인 매트리스에 앉아 호기심 어린 미소를 짓고 있었다.
그러다 그 어머니가 죽었다. 몇 달 뒤, 아이들의 아버지가 오래된 카우보이모자를 쓰고 번쩍거리는 금속 조각이 달린 빨갛고 노란 아름다운 공단 셔츠를 입고 떠났다. 맏이인 메리 조가 그들 앞으로 나온 장애인 지원금 수표를 현금으로 바꾸고 매일 계곡 끝에 있는 작은 가게까지 걸어가 프랑크푸르트 소시지와 공장에서 만든 컵케이크와 커피와 작은 연유 통조림을 사서 동생들을 돌보았다.

이웃들이 수년째 휘태커 아이들에게 음식과 옷을 가져다주고, 병원에 데려가고, 아이들을 데려가 뿔뿔이 흩어놓으려는 주 정부의 움직임에 맞서 싸웠다. 누군가 아이들에게 낡은 이동식 주택을 주었는데, 지금은 부식되어 그 자리에 허물어져 있다. 고장 난 차들이 쌓였고, 휘태커 소년들은 이제 장성한 남자들이다. 그중 몇은 초소형 연장 창고만 한 판잣집을 짓고 살았다. 좁은 비포장 길로 그 집을 지나치노라면 마당에 얼어붙은 듯이 서서 지나가는 사람을 쳐다보는 휘태커 가족이 보인다. 손을 흔들면 그들도 웃으며 손을 흔들어줄 것이다. 손을 흔들지 않으면 그들은 목석처럼 제자리에 서서 빤히 쳐다볼 것이다.

그 가족 중 여자 둘이 바로 옆집인 '토미 크릭 프리 윌 굿호프 침례교회'에 다닌다. 방언方言이 드문 일은 아니지만, 둘은 남들이 알아들을 수 없는 언어로 간증한다. 그 언어는 신과의 특별한 접촉 같다.

도시에서 온 방문 설교자가 토미 크릭 교회로 오는 길에 휘태커 가족을 보고 도시 신도들에게 얘기를 하는 바람에 문제가 시작됐다. 교회 위원회가 음식과 옷을 가져왔다. 바비가 보기에 그들은 그게 어떤 상황인지 잘 아는 게 틀림없었다. 크리스마스에 카메라를 들고 와서 찍은 영상을 신도들에게 보여줬으니 말이다. 10대 소년 한 무리가 그 영상에 매료되어 어느 캄캄한 밤에 휘태커 가족이 사는 곳으로 몰려왔다. 그들은 휘태커 가족을 밖으로 불러내려고 판잣집들에 돌을 던졌다. 그러고는 몇 주 뒤에 다시 몰려왔는데, 이번에는 휘태커 남자들이 총을 과시하며 밖으로 나왔다. 다음에는 부유한 아이들이 총질을 하며 오지 않을까, 바비는 걱정한다.

이미지와의 본능적인 충돌을 통해 상호 작용이 점점 격화된다. 한창 성장기에 있는 주류 계층의 어린 대표들이 흥미로운 이미지를 담담하게 녹화한 영상에서 낯섦과 직면하고는 그걸 더 가까이 보고 싶다는 강박에 사로잡힌다. 재현의 질서는 더 폭력적이고 감정적인 접근에 자리를 내어준다.

휘태커 가족을 불러내면서, 도시에서 온 아이들은 자신들의 자신감이 지배하는 장면으로 치닫는다. 휘태커 가족은 위협에 맞닥뜨려, 즉 졸린 눈에 쏟아지는 헤드라이트 불빛과 사방에서 날아오는 적의에 찬 고함에 직면하고서야 비로소 제가 맡은 역할을 알게 된다.

끊긴 지점

여자의 남동생이 20여 년간 제너럴일렉트릭사 생산 라인에서 일하다가 현장 주임으로 발탁되었다. 첫 업무는 수많은 동료를 해고하는 일이었다. 거기서 20년, 30년을 일한 사람들이야. 끔찍한 일이지(여자의 남동생은 이야기꾼이다). 한 사람이 사무실에서 심장마비를 일으키고, 그가 구급차를 부른다. 불안 증세와 심각한 혼란 증세를 보이는 이들에게는 상담을 주선한다. 집에서 쫓겨난 한 남자에게는 자살을 방지하기 위한 외부의 간여가 필요하다.

여자의 남동생이 하는 이야기들은 충격적이고 끝도 없다. 일단 듣기 시작하면 헤어나지 못한다.

의료 보장 축소에 반대하고 일자리 보장을 요구하는 파업이 일어난다. 그와 다른 현장 주임들이 대체 인력으로 일한다. 끔찍한 일이다. 그는 노조 사무장이었다. 노조를 대표하여 연설하곤 했다. 이제 상황이 점점 불쾌해진다. 강력하고도 고통스러운 무언가가 찌릿하게 그를 관통한다.

곧이어 전국적으로 일일 총파업을 벌이자는 요청이 온다. 그를 포함한 현장 주임 몇이 경영진을 만난다. 그들은 파업 대체 인력으로 일하는 것이 불편하다고 말하고, 하루

쉬어도 좋다는 얘기를 듣는다. 파업이 하루뿐이라서 운이 좋다.

회사 내 명령 체계에서 그들은 약한 고리다. 그들은 강하고 용감하면서도 겁에 질렸다. 그들은 할 수 있는 일과 할 수 없는 일 사이에서 벽에 부딪혔다. 그들은 흐름에 생긴 끊긴 지점이다. 그들은 운이 좋다.

일상적 정동의 정치학은 경찰이 손에 뭔가를 든 흑인이 캄캄한 문간에 서 있으니 총을 쏘아야겠다고 결심하는 찰나에서부터 어떤 사람이 방금 만난 이와 사랑에 빠지는 순간까지, 어떤 일이라도 될 수 있다. 물론, 차이는 중요하다. 모든 격동의 정치학은 그 격동이 어디로 향할지에 달려 있다. 무슨 일이 일어나는가에, 그것이 어떤 작용을, 누구의 손아귀 안에서 하는가에 말이다.

이데올로기들이 생겨난다. 권력이 자리를 잡는다. 구조가 뿌리를 뻗어간다. 정체성이 생겨난다. 인식의 방법들이 즉각 습관이 된다. 하지만 상황에 살아 움직이는 '어떤 것'의 성질을 부여하는 건 일상적 정동이다. 정치는 하류에서 움직이는 다양한 멋진 것과 끔찍한 볼거리에서가 아니라 생생하게 살아 숨 쉬는 상황에서 시작한다. 상황의 힘을 사고하는 첫 번째 단계는 무엇이 사건으로서, 운동으로서, 충격으로서, 반응할 이유로서 중요한가 하는, 해결되지 않은 질문이다. 정치는 연결되어 있(지 않)다는 느낌에 있으며, 공유되(지 않)는 충격들에, 걱정하거나 계획하(지 않)는 데 쓰이는 에너지에, 감정적 전염에, 그리고 모든 형태의 조응照應과 애착에도 정치가 있다. 지켜보며 무슨 일이 일어나기를 기다리는 방식들에, 그리고 의지의 형태들과 (가진 것 없는 이가 벼락부자가 되는, 마침내 자유로워지는 몽상을 하다가 감옥에서 끝을 맺을 때처럼) 의지의 직접적인 행사라는 신기루가 어떤 상황에서는 휘날리는 깃발이고 어떤 상황에서는 비난받을 만한 자멸적인 위축이라는 점에 정치가 있다. 차이 그 자체에, 위험의 차이, 습관과 지루한 반복의 차이, 중요한 모든 것의 차이에 정치가 있다.

반응할 필요

반응해야 한다는 강경하고도 끈질긴 요구는 강력한 습관이 되었다.

여자에게는 일찍이 시작됐다. 여자애였기 때문이다. 여느 가족과 마찬가지로 여자의 가족도 반짝이는 장면들과 생생한 인물들이 등장하는 드라마와 소소한 계몽적인 이야기들을 품고 있었기 때문이다. 그리고 이야기꾼들이 그 인물 각자에게 무슨 일이 벌어졌는지, 어떤 결말을 맞았는지(당연히 좋은 결말인 적은 없었다) 끝까지 파고들었기 때문이다.

사회와 자연의 계들은 거기에 가해지는 충격의 윤곽들을 통해 모습이 파악되기도 하는 법이다.

그것들은 글자 그대로 일종의 사로잡힘으로, 짓눌림으로, 명백한 반응으로 인지되었다.

벌써 수년째 아주 어릴 때의 기억이 아름다움의 충격들, 또는 아름다운 충격들로 되살아나고 있다.
여자는 유치원 수업 때 백화점에서 보송보송한 노란 병아리들이 담긴 상자를 받아 들고 온 날을 기억한다. 엄마의 정원에 꼿꼿이 선 붉은 튤립의 모습이 우연히 찾은 나무딸기와 아무도 안 볼 때 밭에서 뽑아 흙 묻은 채로 먹었던 시큼한 루바브rhubarb 맛과 어우러진다.
외출하기 전 아름다운 검은 드레스를 입고 붉은 입술연지를 바른 어머니의 모습이 머리 위 낭떠러지에서 시멘트 바닥으로 떨어진 옆집 남자애의 얼굴에서 폭발하던 선연한 피로 바뀐다. 그러다 장면은 아버지와 다른 남자들이 며칠 후 그 낭떠러지의 바윗돌을 하나씩 해체해가던 율동적인 충격으로 바뀐다. 누군가 땅을 내려칠 때마다 뭔가를 완전히 바꿔버릴 듯한 충격이 식료품 저장실의 유리창을 흔든다.
남동생이 집을 둘러싼 소나무 숲에 웅크리고 앉아 무얼 들여다보고 있는 흐릿한 장면이 있다. 여자는 등굣길에 남동생을 지나친다. 점심을 먹으러 돌아와보니 집은 화염에 휩

싸였고, 진입로에는 빨간 불빛을 번쩍거리는 트럭들이 가득하다. 거대한 하얀 구름이 푸른 하늘에 '성냥으로 불장난'이라고 써놓은 듯하다.

그런가 하면 친가와 외가 조부모들이 한꺼번에 방문한 날이 있다. 크고 넓은 차가 불안정한 진입로를 올라온다. 그러다 얼어붙은 진입로 가장자리로 바퀴가 미끄러지고, 차는 기울어진 채 낭떠러지 끝에 걸린다. 여자가 사람을 부르러 달려가는 사이, 뒷좌석에 앉은 하얀 머리들은 미동도 없다.

층계참에 난 우유 배달 투입구에 낀 여자의 손가락도 있다. 지하실에 야생 토끼들이 뛰어다니고 있다는 비밀을 지키려는 간절함 때문에 비명도 질러보지 못했지만.

일요일의 드라이브는 뒷좌석에 자리한 끈적이는 손에 녹아 뚝뚝 떨어지는 아이스크림이고 아기의 아이스크림을 훔쳐 먹는 조용한 도둑질이며 포동포동한 뺨을 타고 흐르는 소리 없는 눈물이다. 아기를 제외한 아이들 사이에는 무언의 협정이 있다. 무슨 일이 있더라도 앞좌석에서 눈치채지 못하도록 해야 한다.

재향해외참전군인회 공연장에서 열린 꿈같은 공연이 있다. 여자의 여동생은 덜거덕거리는 깡통을 주렁주렁 단 '캉캉 소녀'이고, 여자는 깔깔대는 관객들을 앞에 두고 허공에 매달린 플라스틱 구 안에서 〈이치 비치 티니 위니 옐로 폴카 닷 비키니〉 노래에 맞춰 춤추는 '풍선 소녀'이다.

나중에는, 지루해서 몸을 배배 꼬게 되는, 외할머니 집 식탁에서 보내는 토요일 아침들이 있다. 그동안 여자의 어머니와 이모들은 언뜻 보기에는 촌수와 결혼 후에 바뀐 성들을 기억하려는 단순한 계기에서 시작된 생생한 이야기들, 예컨대 알코올 중독과 사고와 폭력과 암 투병 같은 이야기들을 나눈다.

어머니와 함께 길을 걸으며 다른 집 창문을 힐끔거리던 밤들이 있다. 휴식의 현장 또는 뭔가 문제가 있다는 사소한 증거 같은 것을 포착하려 애쓴다. 독서용 의자 옆 램프나 자질구레한 것들이 놓인 벽 선반, 뒤집힌 의자 같은 것들.

한 장의 엽서처럼 너무나 고요한 것들.

정물

정靜은 고요한 상태, 움직임의 일시 정지 상태다. 하지만 정은 느린 응축 과정을 통해 영혼을 가능성으로 정제해내는 숲에 숨겨진 기제이기도 하다.
그림에서 정물화는 물감과 욕망의 질감으로 채워진 친근한 장면 속에 그 감각적인 아름다움을 정지시켜 담아냄으로써 생명 없는 물체(과일, 꽃, 그릇)의 생명력을 포착하는 장르다.
히치콕은 영화 제작 분야에서 정의 대가였다. 이동하던 카메라가 멈추고 문이나 전화기를 응시하기만 해도 강력한 불안감을 만들어낼 수 있었다.
일상 또한 흐름과 정지의 리듬으로부터 동력을 끌어낸다. 정물들이 일상의 의미를 강조해준다. 파티가 끝난 뒤 리본과 포도주 잔이 어지러이 널린 거실, 호수에서 멋진(또는 그다지 멋지지 않은) 하루를 보내고 차 뒷좌석에서 잠든 아이들이나 개들, 산행을 마치고 자동차 계기판 위에 늘어놓은 나뭇가지와 돌멩이, 벽장 속 상자에 든 오래된 연애편지, 아무 이유 없이 갑자기 선명하게 살아나는 굴욕 또는 충격의 순간들, 이상한 불쾌감이 엄습할 때 멍해지는 기묘한 순간들, 일상적인 인식을 끌어내면서도 온전한 틀에 들어맞는 경우가 거의 없는 경험의 조각들.

정물은 진동하는 움직임, 또는 공명으로 가득 찬 정적 상태이다. 하나의 범주 또는 궤도에 담긴 안정성에 생기는 한 번의 떨림, 그것이 일상을 전개할 수 있는 원동력이 된다.

정물은 자아, 의지, 집, 삶 같은, 우리가 세상이라고 부르는 프로젝트들에 발생하는 서사의 일시 중단이나 순간적인 결함으로 생기는 강도이다. 아니면 단순한 멈춤이거나.

일상에서 정물이 튀어나오는 때는 충격이나 모닝콜처럼 느껴질 수 있다. 아니면 순전한 쾌락의 현장, 아직 이름 붙지 않은 사고와 감정들의 응집일 수도 있다. 아니면 일상적인 것들의 공공연한 위장 밑에 차곡차곡 접혀 있는 모든 폭력과 불평등과 사회적 광기에 대한 알리바이일 수도 있다. 아니면 지루한 일상과 그것을 행하는 모든 자멸적인 전략들로부터의 도망일 수도 있다.

정물은 자아를 꿈꾸는 현장으로 바꿀 수 있다. 비록 잠시뿐이라 해도.

당일치기 여행

여자 둘이 당일치기로 여행을 떠나 저마다 보존 상태와 시든 아름다움의 상태가 다른 텍사스주 소도시들을 터벅터벅 돌아다니던 때가 있었다. 지금은 선물 가게나 지자체 선거 사무소들이 들어선, 19세기에 돌을 깎아 만든 화려한 독일식 건물로 둘러싸인 광장들이 있었다. 주로 휘핑크림과 버터크림을 높이 쌓아 올린 파이를 팔면서 나긋나긋하고 성실한 태도로 어떤 재료가 들었는지 하나하나 설명해주는 여자 점원이 있는 카페 같은, 운 좋게 마주친 장면들이 있었다. 또는 잔뜩 부푼 머리를 한 여자가 역시 잔뜩 부푼 억양으로 전날 밤 경매에서 헐값으로 팔린 오래된 장롱과 금박 입힌 새장의 생김새를 설명해주는 골동품점도. 세계 각지에서 온 사람들이 물건을 잔뜩 사서 나갔다.

두 여자가 공중 화장실을 찾으러 갔던 작은 경찰서가 있었다. 제복을 입은 남자들 무리가 낚시 얘기를 하다 말고 족히 1분은 되는 시간 동안 두 여자를 빤히 쳐다보았다. 그러다 어떤 여자가 친절하게 나서 두 사람을 안내대 뒤쪽으로 데려갔다.

흙먼지로 뒤덮인 언덕 위에 선 수도원에는 눈물을 흘리는 성상이 있었고, 거기서 두 여자는 예배당으로 입장할 자격을 얻기 위해 문 옆에 있는 큰 상자에서 몸을 둘둘 마는 치마와 머리쓰개를 골랐다.

10대 소녀 두 명이 안장도 없는 말을 타고 읍내로 들어와 말은 어디에 묶지도 않고 포목점 뒤에 내버려둔 채 아이스크림을 사는 걸 본 적도 있었다.

그런 당일치기 여행이 다른 사람들의 상상력도 자극했다. 주간 연예 신문에 당일치기 여행 칼럼이 실렸다. 맛있는 돼지갈비를 파는 멋진 통구이 요리점이나 골목길에 숨은 정통 멕시코 바를 찾을 때 참조할 만한 휴대용 지역 여행서들이 나왔다. 『뉴욕타임스』는 '탈출'이라는 제목으로 주간 특집을 꾸리기 시작했다.

하지만 두 여자의 도보 여행은 아주 사적이고도 특별한 듯했다. 그 확고한 기쁨과 강박에는 삶 '속'에 있고자 하는 꿈이 담겨 있었다. 삶의 그 리듬 속에, 정물을 응시하려는 그 멈춤 속에 말이다. 두 사람은 우연히 마주친 장면들에 시선을 둘 수 있었다. 집으로 가져갈 소소한 이야깃거리들도 챙기곤 했다. 체코식 페이스트리, 땅콩 과자 몇 개, 잠자는 고양이 모양을 한 버터 접시 하나. 덩굴식물에 뒤덮인 오두막집은 사람 사는 곳 특유의 견고하고도 덧없는 색채를 띠고 있었다. 지역 주민들이 꿈속의 인물들처럼 깜박거리며 시야를 드나들었다. 두 여자는 가능성과 휴식의 느낌에 몸을 내맡기곤 했다.
그들이 소도시의 가치나 청빈한 삶을 좇을 건 분명 아니었다. 그보다는 조작된 풍경과 취향이라는 공감각적 그물망이 어떻게 장면과 사물을 서로 공명하게 만드는지 알아보려는 쪽에 가까웠다. 단조로움과 다가오는 어둠만 아니라면, 계속되는 그 평범하고 범상한 것들의 공명 속에 살 수도 있을 것 같았다.
그들이 노략질해서 집에 가져온 상상의 정물들은 단순하지만 깊은 접촉의 가능성을 보증했다.
그리고 그들이 마주쳤던 물체와 이미지와 사건의 강렬한 특수성은 암시적인 것들을 물질화하는 일이 얼마나 중요한지를 부각해주었다.

잠재성

평범한 사물들에 축적된 잠재성은 하나의 전송망이다.
덧없는 데다 일정한 모양도 없는 이것은 여러 삶의 형태와 영역이 조합된 새로운 아상블라주가 등장할 때마다 그 잔여물 또는 반향으로서 살아간다.
하지만 이것은 물리적인 흔적만큼이나 뚜렷해질 수도 있다.
잠재성은 감각적 경험의 파편들과 존재의 꿈들에 내재하는 무엇이다. 일상에 겹쳐진 하나의 층, 또는 하나의 겹으로서, 이것은 상황이 전개되는 데에 대한 사람들의 애착이나 관심의 체계를 낳는다.

흔적

사람들은 문자 그대로든 은유적으로든 길에서 물건을 주워 모은다. 고리에서 떨어지거나 어디엔가 늘어진 채 버려진 물건들이 지난번 꿨던 꿈의 실질적인 잔여물이라도 되는 듯이 집으로 끌려온다.

줍는 행위는 현실 세계(또는 무언가)에 대한 갈망에다 숨은 보석을 알아보거나 할인 판매에 걸렸으면 하는 소박한 소비자의 꿈을 뒤섞는다. 그리고 그 혼합물 속에서 갖가지 다른 일들도 일어나고 있다.

유리병 편지

동네 쓰레기를 뒤지러 나간 앤드루가 1914년에 어느 나이 든 여성이 의대에 진학하는 조카에게 쓴 편지 한 통을 발견한다. 마치 유리병 편지 같다. 골동품. 사람들은 그런 걸 들여다보고 노랗게 바랜 편지지를 손에 쥐는 걸 좋아한다.

> 22일 일요일이 눈부시게 화창하게 밝았지만 쾌적하기에는 아직 너무 춥구나. 그나저나, 나는 돌풍을 무릅쓰고 친구에게 생일 축하 인사를 하러 갔단다. 네덜란드에서 태어난 네덜란드 여자인데, 케이크에 꽂은 초 백 개가 환하게 불을 밝혔지. 나는 작은 선물로 예쁜 생일 축하 카드와 오렌지꽃 한 상자를 가지고 갔어. 3년 전에 딸 페이스와 같이 사다 심은 루이지애나 오렌지나무 두 그루에서 꺾은 아름다운 가지들이었단다. 꽃이 추위에도 해를 입지 않은 듯하니, 이 나무가 18도 기온에서도 살아 번성하리라는 걸 알겠더구나. 그 유쾌한 100세 생일잔치에 참석한 어느 부인이 반짝이는 녹색 잎사귀들 사이사이에 향기로운 하얀 봉오리와 꽃이 달린 작은 화관을 골라 그 늙고 늙은 부인의 검은 비단 모자에 달아주었지. 방을 꽉 채운 사람들이 모

두 박수를 보냈고, 박수를 받은 노인은 황홀해했단다. 어려서 결혼할 때 이후로 처음 달아본 오렌지꽃이라고 했어. 이런 얘기들이 스물한 살이라는 중하고도 막강한 왕관을 쓴 우리 폐하를 지루하게 하지는 않으리라고 믿어! 네가 일을 해야 한다니, 나는 기쁘구나. 불룩하게 채운 지갑을 지닌 남자애란 심각하게 문제가 있지. 신께서 너를 참되고 가치 있는 성공으로 속히 이끄시기를! 일이, 명예로운 일이 삶에 맛을 내는 소금이라고 믿어 의심치 않지만, 나한테 너의 지갑을 채워줄 돈이 있다면 흔쾌히 그럴 거야. 그러니, 너의 시작을 더럽히지 않도록 조심하고, 네 목표를 위해서 일하도록 하렴.

이상하게 생생한 문체 덕분에 이 편지는 그 자체로 '뭔가 특별한 것'이 되는데, 마치 과거의 관습을 구현하는 동시에 그 관습의 포로가 되는 것은 거부하는 듯하다.

야드 세일

여자의 이웃이 이사를 앞두고 신문에 야드 세일 광고를 낸다. 그에겐 괜찮은 물건들이 많다. 새 소파, 참나무 책장, 대형 가전제품들. 아침 일곱 시 즈음에 사람이 백 명 남짓 대문 밖에 모였다. 서로 일면식도 없는 이들이 물건을 획득하겠다는 일념으로 대문이 열릴 때 밀고 들어가기 제일 좋은 자리를 차지하려고 한편으로는 협력하면서 한편으로는 경쟁하는, 즉 팽팽한 긴장과 함께 이상하게 생생한 기운이 도는 현장이다. 한 남자가 나눠 먹을 커피와 도넛을 가져온다. 한 여자가 딸과 함께 다른 사람들보다 먼저 마당 저 끝에 놓인 텔레비전 장식장과 진입로에 손수레째로 놓인 세탁기를 동시에 손에 넣을 전략을 짠다. 할머니 한 분은 야드 세일광이다. 얼마나 심한지 물건을 나를 트럭을 산 것도 모자라 물건들을 넣어둘 차고를 하나 더 지어야 했다며 웃는다.
이제 사람들이 몸을 움직이며 정렬하기 시작한다. 여덟 시에 대문이 열리자 모두 뛰어 들어간다. 열 시쯤에는 모든 것이 손수레에 실려 사라진다.

월경 전 증후군 장착

평범한 장면들이 막 가방에서 이야기를 꺼내놓을 듯한 느낌으로 지나가는 사람을 유혹하는 수가 있다.

물체가 아직 확인되지 않은 잠재성과 이미 세상에 받아들여진 의미의 무게로 희미하게 반짝이는 수가 있다.

어느 날 여자는 캘리포니아주 어빈시에 있는, 외부인 출입을 통제하는 동네(거기 살 형편이 안 되는 사람들이 "빈 깡통도 받침이 있고 잡초도 완벽하게 줄을 맞춰 자라는 곳"이라 부르는 동네)를 걷다가 막다른 골목 경계석에 세워진, 소방차처럼 빨간 신형 포드 승용차와 마주친다. 운전석 쪽에 'PMS• 장착'이라는 문구가 적혀 있다. 공격적인 태도를 지닌 멋진 차, 공공연한 낄낄거림과 함께 유통되는 PMS 농담들에 한마디 날리는 차. 여자는 그 차가 시내를 돌아다니는 장면을 상상한다. 움직이는 편견 교정 현장이다.

하지만 차 옆으로 돌아가면서 보니 그쪽 타이어가 두 개 다 없다. 사실상 그 차는 다급했던 도둑이나 아니면 갖가

• 월경 전 증후군premenstrual syndrome의 약자로 흔히 사용된다.

지 복잡한 상황에 휘말려 괴로웠던 차주가 황급히 차 밑에 찔러 넣고 버려둔 리프트 잭•에 올라앉은 셈이었다. 이제 차는 다른 물건이 된다. 한층 복잡해진다. 예측할 수 없는, 또는 상상할 수 없는 일상의 경계에 자리한 채, 그 차는 잠재성의 뒤틀린 두 극단, 위 또는 아래, 이것 또는 저것의 잠재성을 모두 지닌다. 차는 반복되는 일상이라는 거의 끝없이 이어지는 고역과 번득이는 사건 사이에서 불꽃을 튀긴다.

• 무거운 물건을 들어 올리는 데 쓰는 기구. 타이어를 갈 때 등을 대비하여 간단한 형태의 리프트 잭을 차량에 상비하는 경우가 많다.

첫인상

여자는 친구와 같이 차를 타고 텍사스주 팬핸들 지역을 지나는 중이다. 드넓은 목화밭에서 신기루처럼 호텔 하나가 불쑥 솟아오른다. 둘은 거기서 묵을 요량으로 차를 세운다. 아무리 멀리 둘러봐도 보이는 거라곤 목화밭과 고속도로에 둘러싸인 그 호텔과 주유소와 트럭 휴게소뿐이다.
둘은 중앙 홀 로비에 있는 커다란 가족용 수영장으로 조심스럽게 들어선다. 이국적인 식물들이 가득하다. 2층과 3층 발코니에서 계단 두 줄기가 흘러내린다. 손님 몇 명이 식당에서 뭔가를 먹고 있다. 2층에 있는 바엔 사람이 없다. 약간 맥 빠지고, 쓸쓸하고, 뭔가 당치 않은 듯한 장면이다. 아직 대형 쇼핑몰 문화가 제대로 시작되지 않은 곳에 들어선 가짜 쇼핑몰 같다. 5분 전에도 좀 더 도회적인 교외 지역이나 광역 도시나 위성 도시에 비하면 모든 것이 그래 보였지만 말이다. 부분적으로 실현된(다른 말로 하면 부분적으로 실패한) 기적 같다. 탈출 또는 '어떤 것'에 대한 꿈들이 양념처럼 뿌려진 둔한 강제력이 지배하는 어느 이름 없는 장소의 폭풍 치는 평온함 속에 뜬 공상의 촉수.
둘은 길을 건너 립 그리핀 트럭 휴게소로 간다. 나이 든 남자 여섯 명이 바에 앉아 허튼 소리를 하고 허풍을 떨고 서로를 놀리면서 다들 아는 퍼포먼스를 벌이는 중이다. 여자는 목화밭 너머 보이지 않는 작은 마을들에 있을 그들의 집과 이곳이 '도로'에 연결되어 있음을 생각하고는, 그들이 여기 모여 앉기 위해 했을 행위들과 귀가를 위해 해야 할 실질적이고도 허구적인 행위들을 상상한다. 그 장면에는 남부, 또는 서부, 또는 시골, 또는 마을, 또는 목장, 또는 무언가로 점 찍힌 어떤 형태의 삶이 구현하는 정신의 생동하는 고요함이 있다.

두 여자가 들어서자 나이 든 남자들이 말을 하다 말고 고개를 돌려 쳐다본다. 여자로서는 깜짝 놀랄 만큼 길게 느껴지는 시간 동안 그들은 말없이 응시한다. 그러다 원래 하던 일로 돌아가지만, 그래도 자꾸 여자들 쪽을 힐끔거린다. 자기들 말을 엿들을지도 모른다는 우려보다는 여자 둘이 여행하는 장면에서 뭔가를 끌어낼 모종의 가능성을 기대하는 듯하다고 여자는 생각한다. 고속도로에서 들어오는 낯선 사람들이라면 그들에게 뭔가 가져다주어야 한다는 듯이. 적어도 모종의 상황 또는 사건의 중심에 있는 '이상한' 낯선 사람들이라면 말이다.

몇 년 후, 여자가 다시 그곳에 들른다. 트럭 휴게소는 피자헛과 버거킹과 '그랜디스'라는 남부식 패스트푸드 음식점이 들어선 반짝반짝 빛나는 노란색 미니 쇼핑몰이 되었다. 플라스틱 냄새가 난다. 나이 든 남자들이 장소를 옮김에 따라 이제는 호텔 식당이 사람들로 가득 차 온갖 농담으로 왁자지껄하다. 모두가 담배를 피운다. 외딴 구석에 처박힌 아주 비좁은 비흡연 구역이 있을 뿐이다.

호텔 수영장에서 결혼식이 열리는 바람에 외부 손님은 들어갈 수 없다. 방으로 돌아오는 길에 여자는 발길을 멈추고 그 광경을 지켜본다. 신부가 훤히 드러난 계단을 따라 내려온다. 수영장은 작은 초들로 장식되어 미니 타지마할 같은 매혹적인 빛을 낸다. 결혼식에 참석한 남자들은 하나같이 검은 카우보이모자와 부츠, 검은 청바지와 흰 셔츠 차림이다. 예식이 짧게 끝나고, 뒤이은 피로연은 평범한 케이크와 각자 가져온 요리를 나눠 먹는 만찬과 무알코올 음료로 구성된다. 결혼식치고는 믿기지 않을 정도로 조용한 듯하다.

몇 년 후에 여자가 마지막으로 그곳을 방문했을 때, 호텔은 낡고 황폐해 보인다. 객실에서 담배 냄새와 곰팡내가 난다. 식당은 문을 닫았다. 호텔 지배인은 참 안된 일이지만 그분들은 계속해서 식당 운영에 도움을 줄 수가 없다고 말한다. "생활 보호들을 받게 되시거든요."

길을 건너 트럭 휴게소로 가니 유니폼 차림의 젊은 여성이 부지런히 노란 푸드 코트 바닥을 닦고 있다. 엄밀하게 말하면 문을 닫을 시간인데, 그 여성은 그랜디스 주방장에게 스테이크 한 접시를 요리해달라고 부탁하는 수고를 감수한다.

여자는 저녁을 먹으며 지역 신문을 읽는다. 아버지를 살해한 남자가 정신 이상을 이유로 무죄 선고를 받는다. 그가 20년이 넘도록 환청과 환시를 겪었음이 드러난다. 다리가 무너졌고 잠수사들이 강에서 시신을 추가로 수습했다. 기차가 서로 정면충돌하는 사고가 있었다. 기차 두 대가 같은 선로를 운행하게 된 연유는 아무도 모른다. 벼락이 떨어져 열두 살 먹은 사내아이가 죽었다. 고등학교 졸업생 몇 명이 200이나 300달러 정도 되는 소액 장학금을 받을 예정이고, 복권 당첨 번호가 있고, 탐정 낸시 드루 시리즈의 작가가 아흔여섯 살에 작고했고, 총상을 입고 발목이 픽업트럭에 묶인 채 몇 구역을 끌려 다닌 남부 텍사스 남자가 살해된 이유는 오랜 불화였다고 당국이 발표한다. 도로 표지판을 훔친 두 남성이 첩보를 입수한 경찰에 체포되고, 어떤 남자가 누가 자기 차량 기름 탱크에 물을 넣었다고 신고하고, 어떤 여자가 공터 두 군데에 동물 사체와 쓰레기가 투기된 사건을 고발하고, 두 주유소 직원이 기름을 9달러 30센트어치, 3달러어치씩 넣고 돈을 내지 않고 도망친 사람들이 있다고 신고한다.

여자는 나오면서 출입문 옆에 붙은 지역 소식 게시판을 읽는다. 기묘한 일거리를 찾는 사람들이 있다. 체력 단련 교실과 다이어트 약 광고가 있다("석 달 만에 20킬로그램이 빠졌어요!"). 중고차 광고가 많이 있다(84년식 링컨 콘티넨털, 풀 옵션). 저소득자 지원 사업을 알리는 공공 기관의 공고문과 가정폭력긴급전화와 텍사스 가출청소년긴급전화 안내가 있다. 실종 아동들의 사진이 있다. 법률 사무소 광고("교통 법규 위반 딱지를 받으셨습니까?")와 교회 광고(순복음교회 해방의 기도 방송)와 의료 보험 광고와 야구 경기 일정표가 있다.

이 장면들은 시간에 따라 변화하는 대중문화를 언뜻 본 것에 불과하다. 일부 장면에는 너무 쉽게 사회적 몰락의(또는 뭐가 됐든) 서사로 빠져드는 인상들, 즉 기대가 가득했다. 이런 떠다니는 이미지들은 그 시간 또는 장소의 일상에 일어날 만한 일에 근접하는 일이 없다. 그저 여자가 강렬하게 느낀 그 이미지들이 어느 퍼즐의 조각들로 펼쳐진다는 듯이, 아니면 어딘가 다른 곳, 어떤 장소, 목화밭들로 둘러싸인 이 좁은 오지에서 벌어지고 있는 일과 직접적인 연관이 있다고 장담하는 듯이 보일 뿐이다. 물론 여자가 지나치며 강렬하게 느낀 그 이미지들이 드러내는 것만큼이나 숨기는 것 역시 많다고 말할 수 있겠다. 반대로 그 이미지들이 그저 말하고 있는 것만을 정확하게 의미한다고도 말할 수도 있다. 이걸 봐! 저걸 상상해봐! 일이 일어났어! 여기 네가 좋아할 만한 뭔가가 있어! 중요한 것은 주의를 기울이는 일이다. 일상의 형태들에 침잠해 있으면서도 세상을 인지하는 그런 종류의 주의를.

이제 그 트럭 휴게소는 웹 사이트도 운영한다. 거기에는 '가족이 소유하고 운영하는 사업체'라는 제목이 달려 있고, 핵심 문구를 번쩍거리게 해놓은 기업 신화가 펼쳐져 있다. "일찍이 조랑말 속달 우편 시대부터 (…) 현대적인 여행 센터로 진화 (…) 트럭 휴게소 (…) 주유기 한 대짜리 주유소로 사업을 시작 (…) 2억 5천만 달러 가치의 기업으로 성장 (…) 텍사스주, 뉴멕시코주, 콜로라도주, 캘리포니아주, 애리조나주, 와이오밍주, 아칸소주에 트럭 휴게소와 여행 센터 (…)." 하지만 콜라를 사거나 식사를 하러 그 트럭 휴게소에 들르는 이들 중에 웹 사이트나 기업 이미지 같은 것에 신경 쓰는 사람은 없다.

평범한 주류가 말하는 '우리'

평범함을 공유하는 세계는 사회성, 또는 소모적인 저류低流, 또는 그냥 해야 할 어떤 일의 토대가 될 수 있다. 그 세계는 연출된 완성의 그림으로, 순간적인 인식으로, 아니면 타인들과 함께 어떤 것의 '안'에 있다는 충격 또는 안도의 느낌으로 갑자기 나타날 수 있다.

기묘하게 떠다니는 '우리'는 쇼핑몰에 들어설 때, 또는 리얼리티 TV 채널들을 휙휙 넘기며 펼쳐지는 화면들을 볼 때 흐릿하게 포착된다. 날씨 채널에 나오는 전국 지도에 붙은 뇌우 예보 표시들. 집 고치기 예능 방송에서 이국적인 꿈의 방으로 변신한 침실. 또는 요리 채널에 나오는, 요술처럼 뚝딱 만들어지는 요리.

살아 움직이는 일상적 정동의 표면은 이미 구축된 환경과 기업 클리셰의 진부함에 월계관을 수여한다.

'우리'는 참여를 유발하고, 저 나름의 삶을 살아가며, 심지어 자신의 존재를 반추하기도 한다.[8] 전자 우편함에 웃기는 얘기가 담긴 전자 우편들이 도착했고 자신이 어떤 이유로든 그걸 주변에 퍼뜨릴 때 생기는 그런 일이다. 아니면 친숙한 공공 표어들이 복수複數의 대상에 호소하게 되는 때라거나. "무슨 말인지 아시겠죠?" "그건 완전히 틀렸습니다." "저는 그렇게 '생각'하지 않아요." "내 말이 그 말이야." "듣고 있습니다." "다 괜찮아요." 아니면 자동차 꽁무니에 붙은 스티커들이 자기들도 어쩔 수 없다는 듯이 서로 말을 주고받을 때나. "살다 보면 엿 같은 일도 생기지." "살다 보면 마법 같은 일도 생기지." "내 아이는 우등생." "내 아이는 우등생을 누르는 아이." "그냥 'NO' 하세요." "그냥 하세요." "부시에게 한 표를." "부시에게 투표했더니 얼간이가 왔다." "부시는 바보 멍청이." "부시 빈 라덴."

내장內藏•

순환하는 힘들로부터 너무 직접적으로 신호를 받다 보니, 어느덧 '내장'이라는 말이 어떤 상태를 이르는 약칭이 되었다.
매일의 일상에서 중독과 반복이 그렇듯이, 약한 파동은 쾌락과 경고의 신호로 느껴진다.

• 밖으로 드러나지 않게 안에 간직하여 일체화한 것을 이른다.

건조기용 섬유 유연제

기묘하게도 집단적인 감수성은 눈에 잘 띄는 곳에서 펄떡이는 듯하다.
어중간한 오후 시간에 어떤 여자가 여자의 집을 방문한다. 방문한 여자와 그 남편은 길 건너에 있는 큰 집을 살까 고민 중이다. 방문객이 여자에게 이웃 중에 잔디에 제초제를 뿌리는 사람이 있는지, 아니면 건조기용 섬유 유연제를 쓰는 사람이 있는지 묻는다.
여자는 먼저 건조기용 섬유 유연제가 무엇인지 방문객에게 물어봐야 했다. 그러고 나자 그녀의 머릿속으로 이미지들이 몰려온다. 구름 한 점 없는 날 산들바람에 실려 오는 건조기용 섬유 유연제의 달콤한 냄새, 쨍하니 파란 하늘과 앞뜰에 핀 꽃들, 학교 운동장 잔디밭에 꽂힌, 제초제를 뿌렸다고 경고하는 주황색 작은 깃발들, 윗동네 위도스힐의 잔디밭 넓은 집들 앞에 주차된 잔디밭 제초 회사 트럭들.
여자가 문간에 선 방문객에게 이런 얘기들을 짤막하게 중얼거리지만, 여자의 표정만 봐도 충분한 일이다. 방문객은 곧 싹틀 작은 불안의 씨앗들을 남기고 가버린다.

평범함의 견인력

평범함은 여러 형태와 흐름과 힘과 쾌락과 마주침과 성가심과 고역과 부인과 실용적인 해법과 형태를 바꾸는 폭력의 형식과 백일몽과 잃어버리거나 발견한 기회들을 이용하여 잽싸게 스스로를 만들어낸다.
또는 비틀거리다 실패한다.
하지만 어느 쪽이든 우리는 그 견인력을 느낀다.

「줄라이산」

「줄라이산」에서 월리스 스티븐스•는 초기 우주의 시학을 묘사한다.

> 우리는 별자리에 산다
> 하나의 행성이 아니라
> 누덕누덕한 땅뙈기가 모인
> (…)
> 그렇게, 우리가 산을 오를 때
> 버몬트는 주섬주섬 스스로를 만들어낸다

한순간에 주섬주섬 만들어지는 '버몬트'는 이미 잠재성으로서 거기 있다. 다른 말로 하자면, 이미 문제화되어 있다.

• 월리스 스티븐스(1879~1955)는 미국의 시인으로, 하버드대와 뉴욕대를 졸업하고 변호사로 활동하다가 재해 보험 회사에 입사하여 부사장까지 승진했다. 44세에 첫 시집 『작은 풍금』(1923)을 발표하여 비평가들로부터 천재성을 인정받았다. 언어 자체의 모양이나 발음의 음조 등을 효과적으로 사용하여 실험적이고도 세련된 시풍을 선보였다. 1955년에 퓰리처상을 받았다. 시집으로 『질서 개념』(1935), 『푸른 기타를 지닌 사나이』(1937), 『가을 오로라』(1950) 등이 있으며 사후 출간된 시집으로는 『마음의 끝에 종려나무』(1967) 등이 있다.

이미 하나의 질문이며 일어나기를 기다리는 무엇이다. 그것은 사건과 느낌이 될 수 있는 여러 특질과 기술이 든 주머니에서 무작위 위로 뽑을 때의 차이와 반복 속에 존재한다. 그것은 차이 속에서, 그리고 정체성, 유사함, 또는 의미의 포착, 또는 규정의 논리학을 통해서가 아니라 순전한 반복을 통해, 단순히 '더해지는' 것이 아니라 복잡하게 연결되는, 서로 비교되지도 어울리지도 않는 성질들의 지도를 그리는 잠재성이다. 그건 가을 색깔들이고 메이플 시럽이고 관광 안내 책자이고 달력이고 눈雪이고 시골 가게들이다. 자유주의이고 그러면서도 동성 결혼을 놓고 벌어지는 싸움이다. 인종적 동질성이고 그러면서도 어디서나 볼 수 있는, 유색 인종 아기를 동반한 백인 레즈비언 커플이다. 오래전에 유입되어 구불구불 펼쳐진 언덕과 붉은 헛간 같은 특정한 풍경을 굳혀놓은 뉴욕 자본이고 그러면서도 그 풍경과 재산법에 성문화되어 있는 낙농업의 유산이기도 하다. 또 지금 여기서 벌어지는 시골 생활의 변덕스러움과 기묘함과 지루함 (과/이나) 폭력이다. 문제는 정확하게 이 버몬트스러움이, 엄격하게 말하자면 이 버몬트스러움의 '사회적 구조'가 어디에서 왔는가가 아니다. 문제는, 불충분하게나마 지도로 그려진 요소들이 주섬주섬 무언가로 만들어지는 순간이다. 다시 말한다. 많은 때 중 한

때. 버몬트스러움이라는 추상적인 개념을 재빠른 감각 전달을 통해 표현하는 일련의 연결 관계에서 터져 나오는 하나의 사건이다. 서로 비교할 수 없는 것들이 매번 다르게 합해지고, 그러면서도 반복 자체는 흔적 또는 버릇 같은 잔여물을 남긴다. 살아 있는 클리셰의 탄생이라는 잔여물을 말이다.

첫 데이트

여자는 오하이오주 어느 소도시 광장에 있는 카페에 들른다.
옆 탁자에 중년 남녀가 어색하게 같이 앉아 있다. 가냘픈 체구에 금발, 피부를 세심하게 햇볕에 그을린 여성은 자몽을 먹고, 몸집이 크고 창백한 남자가 비스킷과 그레이비 소스를 먹고 있다. 기묘한 장면이다. 처음 만난 사이가 분명하다. 여성이 운동 일정과 식단 얘기를 하고 있다. 집착은 아니지만 날씬한 몸매를 유지하는 걸 좋아한다고 말한다. 그러고는 비타민제 약병들과 허브 보조제들을 꺼낸다. "일어나자마자 이 두 가지를 먹고, 이것들은 식사할 때, 이것들은 오후에 먹어요. 이것들은 기분이 약간 처진다 싶을 때, 기운 내는 데 좋아요." 그러더니 로션 몇 가지를 꺼내 피부에 바른다.
남성은 조심스럽게 흥미로워하는 표정을 유지한다. 하지만 일이 잘되어가는 것 같지는 않다.
몇 분 후에 자몽 여자가 비스킷 남자한테 하는 얘기가 들린다. "당연히, 당신은 15킬로그램쯤 빼야 해요." 남자가 고개를 끄덕인다. "물론이죠, 맞아요." 남자가 먹고 있던 비스킷과 그레이비소스를 내려다본다. 그의 시선이 누군가와 눈길이 마주칠 만한 범위보다 훨씬 밑인 탁자 주변을 방황한다. 그러고는 상체를 푹 수그리고 먹는다.

여자는 두 사람이 어떻게 만났을까 궁금하다. 그때는 인터넷 데이트 서비스가 있기 전이니, 아마 지역 신문의 개인 광고란을 이용했을 것이다. 어쩌면 둘이 그 지역에서 딱 둘뿐인 중년 미혼 인구일지도 모른다. 어찌 됐든, 그건 하나의 실험이었다. 그냥 무슨 일이 일어나는지 보기 위한 실험. 그리고 진짜로 일이 일어나고 있었다. 설사 '그 일'이 '일어나지 않았다' 하더라도 말이다.

색깔 치료

대면 접촉과 잦은 만남은 순식간에 비약하여, 떠도는 감정들과 사람들 간의 관계를 엮으려 시도한다.

1980년대 후반, 라스베이거스에서 어느 꽃집과 비싸지 않은 고만고만한 도자기류로 구색만 갖춘 선물 가게와 우체국이 한 공간을 나눠 쓰고 있다. 우체국과 상점이 문을 닫는 점심시간에는 가끔 색깔 치료 모임이 그 공간을 사용한다.

어느 날, 그 모임 구성원 열두 명이 회색 금속제 접의자를 놓고 둥그렇게 모여 앉아 있다. 한 남자가 애정 문제를 털어놓는다. 그 남자의 색깔이 자홍색이라는 사실이 문제와 관련이 있다. 다른 사람들이 색깔에 대해, 사람마다 다른 에너지와 성향을 연결하는 색깔 조합에 대해 복잡한 논의를 펼치며 그에 응답한다. 그러다 한 젊은 여성이 자기 색깔이 노란색이라서 직장에서 겪게 된 문제를 털어놓기 시작한다.

요즘은 대체 의학 치료사들과 신비주의자들이 인터넷에 색깔 치료 광고를 한다. 다양한 색의 원석과 촛불, 지팡이, 프리즘, 전구, 물, 천, 목욕 요법, 안경 등을 이용하여 몸의 에너지 균형을 맞추고 치유를 촉진한다고 한다. 색은 저마다 진동수를 가지고 있다. 따뜻한 색들은 자극한다. 차가운 색들은 진정시킨다. 특정 색에 강하게 이끌리는 현상은 특정한 불균형의 신호일지도 모른다.

원한다면 색깔 암호를 가지고 놀이를 할 수도 있다. 빨강은 활동적이고 대담하고 정열적이고 긍정적이다. 빨강 사람들은 용감하고 자신만만하고 인도적이고 의지가 강하고 자발적이며 솔직하고 외향적이다. 자주는 위엄 있고 관념적이며 감각적이지만 자성과 성숙도가 부족할 수 있다. 자주 사람들은 타인의 영감을 고취하는 데 뛰어난 지도자가 된다. 그들은 친절하고 공평하며 인도적이고 자기희생적이며 미래를 제시하고 창의적이며 정신적으로 강건하다. 자홍은 빨강보다 덜 공격적이고 더 영적이며 자주보다 더 현실적이기도 하다. 노랑은 지적이고 소통하기 좋아한다. 노랑 사람들은 유머 감각이 뛰어나고 낙관적이며 자신만만하고 현실적이며 지적이다.

여러 유형 중 하나의 모형을 통해 자신의 모습을 상상해볼 수 있다. 아니면 그 모형과 대비해서든가. 주황이고 싶어 할 수도 있다. 주황은 빨강보다 야심만만하고 독립적이지만 온기가 부족하다. 주황은 노랑 특유의 오만이 없으면서 노랑의 지성을 갖추었다. 주황 사람들은 열정적이고 행복하고 사교적이며 활기차고 활동적이며 자신감 있고 건설적이다. 그렇지만 사실은 초록에 더 가까울지 모르겠다고 생각할 수도 있다. 그것도 날씨가 좋은 날에만 말이다. 초록은 치유하고 공감하고 확고하고 차분하다. 초록 사람들은 이해력이 좋고 절제력이 강하고 수용적이고 동정적이며 공감 능력이 뛰어나고 겸손하고 관대하며 자연을 사랑하고 낭만적이다. 이쯤이면 다들 여러 색깔과 혼합색의 조합을 이리저리 맞추어 뭔가를 만들어내기 시작할 것이다.

하지만 색깔 치료에 정말로 열중하는 사람들은 색을 상징이나 기호로 읽지 않는다. 그들은 색이 지닌 진정한 외양적 특질들과 그 특질들이 무엇을 할 수 있는지에 관심을 둔다. 색이 무엇을 '의미'하는지는 신경 쓰지 않는다. 그들은 사물이 무엇으로 만들어져 있는지 보기 위해, 존재하는 힘들을 가지고 장난을 친다. 그들은 세상사를 연금술적 이행 과정에 놓고 싶어 한다. 그들은 생각이 같은 사람들과 세상사를 논의한다. 우리는 절대 알 수 없다.

그러는 사이 길 아래쪽에서, 사실상 우체국에서 색깔 치료 모임이 열리고 있던 바로 그때, 화학 공장 하나가 폭발하여 네바다주 헨더슨이라는 소도시의 절반을 날려버린다. 연방재난관리청 청문회가 몇 달이나 질질 끈다. 증거는 있다. 그 폭발로 소규모 사업체들이 파산했다. 위험한 화학물질을 실은 기차들이 별다른 표식도 없이 무고한 어린이들이 뛰노는 주택가 뒷마당에 인접한 철로로 운행해왔다. 연방 정부의 지원을 받는 대기업들이 남모르게 저지르는 영업 행태와 무감각한 미래 세대 경시 풍조에 대해 말이 나왔다.

여자가 소규모 사업체들을 사실상 대표하는 인물과 대화를 시작한다. 그는 연방재난관리청이 자신들을 무시한다고 느낀다. 그는 사람들과 함께 지역 정치인들을 찾아다니며 면담한다. 악의적인 위협이 있다. 싸움이 있다. 그들은 비리를 캐고 많은 사례를 발견한다. 밥은 그 일에 전념하고 있다. 그는 매달 장거리 전화에 수백 달러를 쓴다. 그는 사연들을 발굴하기 위해 캠페인을 벌인다. 대학 등록금을 마련하려고 아파트에서 타란툴라 거미와 독사를 키우던 젊은 남자가 그 폭발로 모든 것을 잃었다. 평화로운 삶을 찾아서 그 소도시로 온 어느 은퇴자 부부는 그날 밤 온 집 안의 창문과 유리문이 폭발하는 소리와 가스 냄새에 잠이 깼다.

밥을 포함한 소규모 사업체 소유자들은 정부한테서 만족할 만한 대답을 듣지 못하자 자력으로 문제를 해결하겠다고 결심한다. 자체적으로 화학 공장을 세워 처음부터 다시 시작하겠다는 생각이다. 제조에 대해서는 이미 충분히 알고 있다. 여기는 미국이고, 그들은 무엇이든 할 수 있다. 누군가가 그들과 같이 일할 만한 기술자를 한 명 안다고 말한다. 이제 화학을 아는 사람만 있으면 된다.

상황이 갈수록 악화된다. 밥이 매일 밤 여자에게 전화한다. 그러고는 전화로 얘기하기에는 너무 거대한 음모론을 짜 맞춘다. 여자는 도시 변두리에 있는 어느 교회 주차장에서 그를 만난다. 노을이 장관이다. 밥은 자기가 살아온 이야기를 여자에게 들려주고 싶어 한다. 어린 시절의 크고 아름답고 거친 네바다를. 순수한 자연 속에서 사냥하고 낚시했던 일을. 수년 후에 돌아와 사업을 시작하고 아이들을 똑바로 길러냈던 일을. 그러다 폭발이 일어났다. 그가 다시 일어서기 시작하던 그때. 이제 그는 그냥 모든 일을 끝내고 싶다고 생각한 지 제법 되었다. 그는 아들을 데리고 낚시를 하러 가서 자연 그대로의 호수에서 유영한다. 그는 총을 지니고 다니는데, 언젠가 자기 머리를 날려버릴 작정이다. 그는 산 밑에 닿으면 산에 오르는 사람이기 때문에, 곧장 산꼭대기로 오르는 그런 종류의 사람이기 때문에, 아무 문제 없다. 그게 바로 그다. 하지만 이 사회는 그가 자기 입장을 지키며 일을 시작하러 산 밑에 가는 것조차 막으려고 그의 앞에다 바리케이드를 쌓아 올리고 있다.

어두워지고 있다. 그가 자신에 대해서 너무 많은 말을 하고 있다. 여자는 그와 비슷한 경험을 하고 그와 같은 방식으로 생각하는 다른 사람들과 얘기해본 적이 있다고 말한다. (여자로서는 뜻밖에) 그가 그 말에 미친 듯이 화를 낸다. 그는 고유한 개인이다. 세상에 그와 같은 이는 없다. 그는 다른 어떤 것과도 같지 않다. 그가 여자의 마음을 끌려고 한다. 여자는 그곳을 떠나지만 불안하고 속이 울렁거린다. 그가 자꾸 전화를 건다. 여자는 한 번 더 그 남자와 만나지만, 이번에는 그의 아내와 아이들이 있는 그의 집에서다. 집에는 남아 있는 가구가 없다. 그들은 텅 빈 거실 카펫 바닥에 앉아서 피자를 상자째 놓고 먹는다. 다들 너무 조용하다. 무섭고 침울하다. 그저 아주 약간 '어긋난', 끔찍하게 잘못된 것이 있다. 이제 그가 어떤 것을 놓고 신랄하게 중얼거리는데, 여자에게는 잘 들리지 않는다. 그러다 여자는 그의 얘기가 외설적인 데다 자신을 향하고 있음을 어렴풋이 깨닫는다. 있어서는 안 될 일이다. 실내에서 공기가 빠져나간다. 여자가 일어서서 문 쪽으로 움직이기 시작한다. 깜짝 놀란 그의 아내에게 감사의 말을 전한다. 여자는 그 집을 떠난다. 그가 이틀 뒤에 딱 한 번 더 전화를 걸어 연방재난관리청 건의 진척 상황을 알린다. 여자는 전화상으로 냉정하게 대한다. 계속 연락할 여지를 주지 않으려고. 너무 늦었지만, 거리를 두려고.

지켜보기와 기다리기는 감각의 습관이 되었다.
여자도 다른 사람과 다르지 않다. 평생 "조심해!"라고 소리쳐왔지만, 지금에 와서는 그게 좋은 생각이었는지 확신이 들지 않는다.
과잉 경계가 뿌리를 내렸다. 세상에는 달리 어쩔 도리가 없어서 모든 것의 행방을 면밀하게 쫓아야 하는 강박적인 사람들이 있다. 여자가 라디오에서 들은, 자신이 하는 모든 일을 기록하는 데 평생을 바친 어느 남자의 이야기처럼 말이다. "6 : 30 기상, 아직 어두움, 찬물로 세수, 양치, 6 : 40 화장실, 6 : 45 차 끓이기, 6 : 53 새들이 지저귀기 시작 (…)"
아니면 여자가 다른 인류학자 두 명과 미시간주에서 살 때의 이웃이 있다. 여자와 두 인류학자는 작은 호숫가에 나란히 선 조그만 집 세 채를 한 채씩 임대해 산다. 그 이웃 사람의 취미는 움직일 때마다 비디오를 찍는 것이다. 숲속 산책, 자기 자동차인 포드 T형을 타고 드라이브, 나이 지긋한 여성들이 원을 그리며 도는 폴란드 민속춤 무대에 난입, 읍내 성당에서 달에 한 번씩 여는 스파게티 만찬회 등

등. 어느 밤, 세 인류학자가 한 집에 모여 있을 때, 그가 들러서는 그 엄동설한에 호수를 한 바퀴 돌면서 찍은 비디오테이프를 내민다. 그러면서 아무 설명도 없이 성인용 포르노 비디오테이프도 얹어준다. 그러고는 멋진 저녁 시간 보내라는 인사를 하고 훌쩍 사라진다. 세 사람은 저녁을 먹은 뒤에 편하게 앉아 그가 찍은 홈 비디오를 시청한다. 그의 모든 숨소리와 발소리가 들린다. 오솔길에는 간간이 사슴 똥이 있고 미심쩍은 꼴로 쌓인 눈 더미가 있다. 그러다 그가 밥과 앨리스가 사는 오두막으로 다가가(둘은 겨울을 나러 플로리다에 갔다) 집의 토대를 두른 검은 비닐이 불룩하게 불거진 곳을 확대하여 촬영한다. 이런. 깨진 수도관에서 나온 얼음일 수 있다. 아마 집 전체가 얼음으로 가득할 것이다. 그가 얼음이 (만약에라도) 녹으면 무슨 일이 생길지 모르겠다고 말한다. 진짜 큰 문제가 될 수 있다. 그가 그 비디오를 복사해서 플로리다에 있는 밥과 앨리스에게 보내야 할지도 모르겠다고 말한다. 그러고 그가 다시 움직인다. 다시 숨소리, 고드름, 눈을 딛는 발소리. 일이 (잠재적으로) 벌어지고 있고, 그에겐 모든 것에 엄정한 시각적 주의를 기울이는 버릇이 있다. 하지만 그에게 일의 진상을 규명하거나 결정하거나 어떻게 해야 할지 판단하는 버릇이 있을 필요는 없다. 그는 세상을 향한 자신의 일상적인 관심을 기록하고 있고, 그가 옆집에 모인 인류학자들과, 어쩌면 은연중에는 플로리다로 내려간 불쌍한 밥과 앨리스와도 나누고자 하는 것이 바로 이것, 자기 관심의 기록이다. 그 과정에서 튀어나오는 가능성과 위협들이 사물의 실질적인 형상 안에 깃든 채로 남아 그런 식으로 보존된다. 그는 어떤 이유로든 상황을 극단까지 밀어붙이는 극단주의자이지만, 일어나는 일들과 사물이 갖는 강도의 물질성에 관한 그의 긴한, 기록된 관심은 많은 사람에게 '웃기는 홈 비디오' TV 프로그램이나 리얼리티 프로그램을 볼 때와는 전혀 다른 모종의 이해를 전달한다.

일상을 파고들어 뭔가 다르거나 특별한 것들을 찾아냄으로써 매일의 일상에 형태를 만들어주는 이들이 있다. 여자의 친구인 조이스와 밥처럼. 둘은 뉴햄프셔주 숲속에 산다. 밥은 벌목꾼이다. 조이스는 '스위스 빌리지' 또는 '샹그릴라' 같은 이름이 붙은, 1950년대에 지어진 작은 관광객용 오두막을 청소하는 일을 한다. 조이스는 수년간 가정폭력을 견디며 조신하게 살다가 예수님의 계시를 받고 남편과 네 아이를 두고 떠났다. 어느 날 집 뒤쪽 창문으로 나와서는 다시는 뒤돌아보지 않았다. 그러다가 어느 술집을 맡아 운영하던 중 밥을 만났고, 같이 보낸 하룻밤이 12년에 이르는 행복한 동거 생활로 이어졌다(갈등이 없었던 건 아니다. 솔했다). 조이스는 밥이 험한 일을 하니까 술을 과하게 마셔도 봐줬다. 밥은 밤에 집에 오면 술을 마셨다. 주말에도 내내. 조이스는 밥보다 줄잡아 열 살은 더 많은 데다 쉰에 가까우면서도 그를 '아빠'라고 불렀다.

둘은 북쪽 숲의 임대용 오두막을 전전했다. 둘은 너구리들을 반려동물인 양 오두막으로 불러들였다. 둘은 새벽 다섯 시에 일어나 각자 일기를 썼다. 밤에 집에 오면 그날의 일기를 서로에게 읽어주고 나무 꼭대기와 벌집을 찍은 밥의 예술적인 사진들을 감상하곤 했다. 마침내, 둘은 호수 북쪽의 어느 황폐한 장소에서 발견한 작은 개조용 주택을 살 만한 저소득자 대출을 간신히 받아냈다.

그러던 중에 조이스에게서 엽서가 왔다. 밥이 술집에서 만난 '그 방탕한 여자'를 쫓아 떠났단다.

여자는 조이스가 여전히 일기를 쓰는지, 여전히 우연히 행복을 발견하는 걸 상상하고 그걸 일상에 모아둘 방법을 찾는지, 아니면 그녀의 일상에 뭔가 다른 일이 벌어졌는지 궁금하다.

인류학자들

세 인류학자는 함께 해 오던 우스꽝스러운 일을 계속한다. 여기저기 들쑤시고 다니는 일 말이다. 그들은 꽁꽁 얼어붙은 호수에 임시로 설치한 어부들의 낚시용 오두막 문을 두드린다. 들어오라는 말이 없는데도 방문을 자처해 냉큼 실내 벤치에 앉는다. 그래도 어부들은 말이 없다. "누구시오?" 또는 "여기 웬일로 오셨소?"라는 말조차도. 그래서 그들은 엉뚱하고도 어색한 침묵 속에 둘러앉아 얼음에 난 구멍 속 깊고 어두운 물을 쳐다본다. 그럴듯한 질문이라곤 하나도 떠오르지 않는다.

숲속을 산책하다가 사냥꾼들과 마주친다. 사냥꾼들은 얼음 낚시꾼들보다 말이 많다. 그들은 자기들이 '밤비 살해자'가 아니라는 사실을 인류학자들이 알아줬으면 한다. 그런 사냥꾼이 몇 있을지는 모르지만, 자기들은 아니다. 자기들은 새로운 종種이다. 좋은 사람들이다. 대학을 다녔고, 정치와 환경과 정부에 대해서도 할 말이 있다. 대개 사냥꾼 무리에는 여성이 한 명 끼어 있다. 그들이 그 여성에게 사냥을 가르친다.

밀렵 감시인은 나쁜 놈들이다. 밀렵꾼을 찾던 그놈들이 불쑥 나타나면 모두가 몸을 사린다. 밀렵 감시인들은 햇빛에 바랜 포스트 아포칼립스• 분위기의 차를 몬다. 초대형 특수 총포들을 장착하고 보닛에 스포트라이트를 단 차다. 험상궂은 그 악한들은 냉혹한 시선으로 사람들을 빤히 쳐다본다. 위장복 밑에서 근육이 꿈틀댄다. 밀렵 감시인들은 신경이 예민하다.

• Post Apocalypse, 종말 이후의 세계

도약

텍사스주 오스틴시에서 조깅하는 사람들은 강을 가로지른 높은 다리를 건너다 말고 철제 난간에 다리를 걸치고 스트레칭을 하곤 한다. 다리에서 보이는 탁 트인 풍경은 그 속의 구성 요소들을 일시 정지시켜 한 폭의 정물화를 연출한다. 바닥이 평평한 보트에 꼿꼿이 앉은 낚시꾼들. 물에 잠긴 미루나무에 앉은 커다란 왜가리들. 강 중심부까지 그림자를 드리우는 절벽 위 석회암 저택들. 소형 선박들이 소리 없이 수면을 미끄러진다. 유람선 한 척이 막대한 양의 물을 퍼서 수차를 돌리며 제 몸을 밀어 천천히 상류로 향한다.

가끔 그 다리는 애정과 분노, 말 없는 자포자기, 또는 단순한 기쁨의 휴먼 드라마가 펼쳐지는 무대가 된다.

어느 날 아침 조잡한 표지판 하나가 난간에 붙는다. 맨 위에 적힌 두 이름 '앤절라와 제리'에는 커다란 검은 가위표가 쫙쫙 그어져 있다. 그 밑에 이런 내용이 있다. "연방 요원들과 오스틴 경찰청이 미국 헌법이 보장하는 신념을 지키겠답시고 악의적으로 우리 관계를 망친 거야. 앤절라 당신과 제시카와 털북숭이 우리 개 리프가 보고 싶어." '언제나 널 사랑하는 제리가'라고 서명되어 있다. 서명 밑에는 화살이 꽂힌 심장에 '양키 걸'이라고 적힌 그림이 있고, '제발 돌아와'라는 글귀가 두꺼운 검은색 테두리로 강조돼 있다. 그 밑으로 글이 계속된다. "당신과 제시카와 털북숭이 우리 개 리프 (…) 보고 싶어. 당신을 빼앗아 가기로 공모하고 실행한, 증오 가득하고 앙심 깊은 사람들의 영혼에 신의 자비가 있기를. 앤절라, 난 언제나 그리고 영원히 당신을 사랑할 거야. 보고 싶어, 자기. 제리." 그러고는 '양키 걸'을 추모하는 화살 꽂힌 심장이 또 나온다. 표지판 밑에는 예수 성심 봉헌 초로 꾸민 제단이 있고, 반쯤 탄 향들이 밀랍에 꽂혀 있다.

그 표지판은 모호한 동시에 몹시 선명하다. 떨리는 글자에 분노가 일렁인다. 살아 있음을 느끼기 위해 자해하는 사람들처럼, 그 글은 해석되고자 하지 않으면서도 세상을 난자하며 스스로를 세상에 드러낸다. 충격적인 만큼이나 흔하게 볼 수 있는 시학詩學이다. 우리가 매일 기찻길 교각에 휘갈겨진 낙서나 길거리 노숙인이 든 구걸 문구에서, 또는 AM 라디오 대담 프로그램의 거친 대화라든가 운전자의 발작적인 분노, 편집자에게 보내는 편지, 아니면 일터와 사적인 공간에서 가까스로 억누르는 분노에서 접할 수 있는 종류이다.

이것이 꺼끌거리는, 거친 일상의 표면에 담긴 일상적 정동이다. 이것은 온갖 종류의 정치를 투과하며, 모종의 친밀한 대중인 구경꾼들에게 공유된 그 충격의 공간에서 어떤 것을 인식하도록 요구한다.[9] 잠깐뿐일지라도 말이다. 사람들은 감동할 수도 있고, 아니면 불쾌한 요구들에 마음을 닫을 수도 있다. 하지만 어느 쪽이든, 전류는 몸을 통과한 뒤에도 짜증이나 혼란, 판단, 전율, 생각으로 한동안 남아 있다. 우리를 어떻게 강타하든, 그것의 의미는 훌쩍 도약한다. 본능적인 그 힘 때문에 우리는 그것을 이해하기 위해, 그것을 의미의 질서 안으로 통합하기 위해 조사에 나서게 된다. 하지만 그것은 먼저 행위와 장면에 담긴 실질적인 전류로, 전달자로 산다.

정서 배우기

정서는 의미의 형태나 지식의 단위라기보다는 어떤 관념이나 고민의 표현이며 비자발적이지만 강력한 일종의 이해와 참여로 드러난다. 알폰소 링기스는 북극권 어느 탄광을 견학한 기록에서 이런 감정의 도약을 언급했다. "탄광을 안내해준 젊은 광부가 담배를 피우고는 늘 자기 손등에다 껐는데, 손이 흉터투성이였다. 그제야 다른 젊은 광부들의 손등도 하나같이 흉터로 뒤덮여 있는게 보였다. (…) 그런 손등을 볼 때마다 담뱃불이 살에 짓이겨지는 걸 보면서 고통을 감지하는 것처럼 저절로 눈가가 떨려 왔다. (…) 눈은 신호에서 의미를 읽지 않는다. 시선은 흉터에서 고통으로 그리고 불붙은 담배로 건너뛰고, 그 다음에는 불붙은 담배로 저들만의 신호를 주고받는 남학생 클럽으로 건너뛴다."[10]

여기서 모두의 손등에 난 흉터라는 집단적 정체성의 추상화된 신호는 감각과 사회성에 관한 문제들과의 연관을 보여줄 뿐만 아니라 하나의 극단적인 형태를 과시 또는 제시하기도 한다. 어떤 것이 만들어질 때, 그들만의 작은 세계에서 시작된 것이 어디까지 갈 수 있는지를 그것이 보여준다.

일상적 정동을 통해 사회에서 유통되는 힘들이 우리에게 미치는 익숙한 충격들의 문제를 집중적으로 조명해볼 수 있다. 일상적 정동이 딱히 '개인적'인 건 아니지만 우리가 딱히 '의도'하지 않은 곳으로 우리를 끌고 갈 수 있는 건 확실하다.

수생水生 곤충

위치는 점유되고, 습관은 사랑받거나 미움받고, 꿈은 펼쳐지거나 훼손된다.
그리고 모두가 얻어낼 수 있는 것을 얻기 위해 일상의 은밀한 공모에 가담하고 있음에 대하여.
여자는 어쩌면 그것이 표면 장력에 기대 살아가는 수생 곤충으로 살아가는 것과 비슷하지 않을까 생각한다. 사물에 깃든 원초적인 생명력의 감각에 이끌리면서도 가라앉지는 말아야 하는.
그리고 꾀발라야 하는. 운이 좋다면 말이다.

감각 놀이

누구나 할 수 있는 놀이가 있다.

앞에 가는 차가 언제 차선을 바꿀지 알아맞히는 놀이가 그렇다. 이런 데에 육감이 발달한 사람들이 있다. 그런 사람들은 앞차 운전자가 모종의 신호를 보내거나 은근히 차선 쪽으로 차를 갖다 붙이거나 왠지 조바심을 내는 것처럼 보이거나 하지 않을 때도 언제 차선을 변경할지 알아맞히는 재주가 있다.

아니면 고속도로 요금소를 쓱 훑어보고 제일 먼저 차가 빠질 차선을 고르는 놀이가 있다. 이 놀이는 조금 어렵다. 저 수납원은 손이 얼마나 빠를까? 저 운전자는 정기권을 가지고 있을까? 저 운전자는 수표를 쓸 사람 같아. 저 운전자는 말이 많은 사람 같아. 변수와 예기치 않게 일어날 수 있는 사건이 너무 많다. 훌륭한 선택을 했다 해도 공포의 요금 확인 절차나 용지가 떨어진 영수증 기계 때문에 곧바로 패할 수 있다. 게다가 일단 고르고 나면 차선을 변경할 수도 없다.

차가 빨리 빠질 듯한 차선을 골라 차를 댔는데 문제가 생겼을 때, 다소 절박하게 뭔가 달리 할 일을 찾아야 할 듯한 기분이 드는 경우가 있다. 전화 통화를 할 수도 있고, 머릿속으로 할 일 목록을 정리할 수도 있고, 휴대용 전자 기기로 업무를 볼 수도 있다. 동승자들과 연예 신문 기사 제목을 훑으며 잠깐의 흥분이나 소소한 웃음거리를 찾을 수도 있다. 아니면 『집과 정원』이나 『글래머』나 『에스콰이어』 같은 잡지에 빠져들 수도 있다. 잡지를 펼치면 그림처럼 완벽한 장면들이 순식간에 나타나 감각을 파고든다. 환상에서 눈앞의 현실로 튀어나왔다가 다시 환상으로 돌아가는 감각적인 몸뚱이들과 거실들과 정원들의 아우라 속으로 느긋하게 빠져드는 것이다. 그 반드르르한 이미지들은 어떻게 보고 즐겨야 하는가에 대한 청사진보다는 이미지가 물질에 이르는 것을 지켜보는 훨씬 심오한 경험을 제공한다. 잡지 속 사물들이 감각할 수 있게 되는 그 비약은 이미 의미가 겪은 일이다.

여러 감각 놀이가 빠르게 퍼지면서, 모종의 공통된 감각 세계에 동조하는 기쁨과 동조하고자 하는 충동이 활발해진다. 그 감각들은 진부하면서도 얘기된 적이 없다. 아니 신비화되기조차 했다.
공통성과 차이성의 형태를 달리하며 매일의 상호 작용에 끼어든다. 세상에는 뚜렷한 연결과 단절의 선들과 그보다 가는 일시적인 유사와 차이의 선들이 있다. 작은 세계들이 모든 것의 주변에서, 그리고 아무것도 아닌 것의 주변에서 증식한다. 쇼핑몰 문화, 자동차 문화, 지하철 문화, TV 문화, 쇼핑 문화, 온갖 팀과 클럽과 조직(스포츠 팀, 개 번식 클럽, 스크랩북 클럽, 역사적 재현 협회, 통신용 비둘기 협회, 오프로드 자동차 클럽, 독서 모임, 수집가 모임, 팬클럽, 지역 모임, 직업 협회, 걷기 모임, 홈스쿨링 모임, 소수 민족 협회, 입양 모임, 섹스 그룹, 작가 그룹, 이웃 만남, 커피 마시는 사람들의 모임), 온갖 종류의 중독(약물, 알코올, 섹스, 과식, 소식, 자해, 절도), 온갖 종류의 질병, 범죄, 온갖 종류의 불행, 실수, 별난 생각들. 공통된 경험의 장면들이 있다. 여행객들의, 아니면 지역민들 대 이주민들의, 아니면 백인 거주 지역을 걸어 다니는 유색 인종의, 아니면 식량 배급표 사무실에서 종일 기다리는 사람들의 공통된 경험의 장면들. 세상에는 음악 장르들에 대한, 또는 조기 은퇴라는 꿈을 향한 공통의 애착이 있다.

하지만 무언가 온당치 않은 구석이 있다는 것도 다들 안다.

스트레스는 오늘날의 국제 공용어다. 스트레스는 가슴에 단 배지처럼 우리가 가라앉지 않고 시류에 발맞추고 있음을, 또 바쁘고 한꺼번에 여러 일을 처리하는 능숙한 사람임을 보여줄 수 있다. 아니면, 스트레스는 과로와 박봉과 의료 체계의 방임에 대한, 아니면 기저에 흐르는 끊임없는 인종 차별주의의 압박에 대한 본능적인 불평일 수도 있다. 스트레스는 사람에게 동기를 줄 수도 있고, 사람을 소진과 폐소 공포증, 분노, 만연한 공포의 시간 속에 홀로 버려둠으로써 망가뜨릴 수도 있다.

스트레스는 포용 또는 배제, 주류 또는 비주류의 이야기를 들려줄 수 있다. 하지만 무언가를 드러내는 잘 알려진 스트레스의 능력은 그 안에 숨긴 어떤 의미가 아니라 온갖 힘과 경로를 통한 그것의 실질적인 유통, 예컨대, 자기계발 문화나 마약 산업과 직접 광고의 위력, 사회적 무관심, 정치적 우울증, 난폭/보복 운전, 또는 주요한 사회적 트라우마나 창의적 형태의 재현 또는 반작용을 중심으로 형성된 그 복잡하고 세밀한 수없이 많은 작은 세계들에 기인한다.

스트레스는 강도强度를 기록하는 초개인적超個人的 신체 상태이다.

스트레스와 같은 것은 계속 남아서 실질적인 해를 끼칠 수 있다. 아니면 배수구로 물 빠지듯이 흘러 나가버릴 수도 있다. 너무 오래 실업 상태에 있던 사람이 마침내 일자리를 구했을 때처럼.

아무 일자리라도 말이다.

이런 일이 딱히 새롭지는 않다.

톰 루츠는 『1903년, 미국인의 신경과민: 일화로 본 역사』에서 20세기 초반에 뉴로시니아 또는 '신경 쇠약'이 어떻게 우리가 흔히 겪는 복합 증상들(불면, 무기력, 우울, 건강 염려증, 히스테리, 열증과 냉증, 천식, 꽃가루 알레르기, 편두통, 졸도 등)을 이르는 병명으로 자리 잡게 되었는지를 추적한다. 루츠는 그 현상을 '급변하는 현대 사회에 표류하는 흥분하기 쉬운 주체들의 감수성이 구체화된 것'으로 묘사한다. 한편으로는 세상에는 숨겨진 위협과 보이지 않는 위력이 존재한다는 고딕풍 상상에 자아실현과 자기 최면, 기업 카리스마 같은 새로운 소비자 중심적, 치료 중심적 사회 기풍의 낙관주의가 뒤섞인 불안정하고 난처한 감정 구조로 묘사하기도 한다. 신경 쇠약이라는 병명의 헤게모니는 서로 다른 여러 정체성과 삶의 조건들을 한데 모으는 주된 서사의 힘을 통해서가 아니라, 그것이 사실상 과학과 기술과 의학, 종교와 윤리학, 정신 분석, 사회적 성과 성적 특질, 건강과 질병, 계급과 인종, 예술과 정치라는 서로 경쟁하고 충돌하는 힘들을 명확히 표현하기 때문에 확대된다.

지금의 스트레스와 마찬가지로, 신경 쇠약이라는 현상은 사회 변화들이 신체를 자극하여 보내는 기묘한 이상 신호였다. 그리고 지금의 스트레스와 마찬가지로 그 현상은 특이점들을 통해서만 볼 수 있었다. 신경 쇠약이라는 현상을 구성하던 요소들이 수많은 변화와 사건을 거치며 꾸준히 스스로를 만들어가는 과정은 일화들로 구성된 역사로밖에 설명할 수 없다.

갈 데 없는 격한 감정들

갈 데 없는 격한 감정들이 일상의 거리를 배회한다.
이미 겪었지만 흡수되지 않은 일들의 온갖 충격들, 마무리되지 않고 버려진 경험의 온갖 파편들이 있다.
모든 것이 삶을 맥동하게 만드는 것의 이야기들로 포착되지 않은 채 사물의 가장자리에 남겨진다.
계획과 프로젝트와 온갖 종류의 반복적 일과가 부주의하게 증식시킨 온갖 과잉과 여분의 작용들이 쇄도하고, 시험하고, 굽이쳐 흐른다.
그것들이 사물을 자신의 자취로 끌어당긴다.
그것들이 진실 요구를, 혼란을, 수락을, 인내를, 믿기 어려운 이야기를, 무감각과 욕망의 회로를, 무디거나 모험적인 움직임을, 경각심의 가장 일반적인 형태들을 유발한다.

난폭 운전

오늘은 7월 4일이고 불꽃놀이가 끝난 뒤의 도로는 마비 상태다.
여자의 친구인 대니와 그의 여자 친구가 도로에 갇힌다. 둘은 앞차를 운전하는 사내가 자제력을 잃기 시작하는 기미를 알아챘다. 앞차가 둘의 차에 닿을 때까지 최대한 후진하더니 맹렬하게 앞으로 돌진한다. 둘의 차 앞에 넓은 공터가 생긴다. 대니와 여자 친구는 마치 슬로 모션을 보는 듯이 그 현장을 지켜본다. 앞차를 받은 사내의 차가 전속력으로 후진하여 둘의 차를 들이받는다. 그러고는 다시 앞으로 갔다가 뒤로 돌진한다. 둘은 서로를 쳐다보고는 서둘러 차에서 내린다. 사내의 차가 다시 둘의 차를 들이받는다. 이번에는 사내의 차 꽁무니가 둘의 차 범퍼를 타고 후드 위까지 올라간다. 사내가 차를 앞으로 몰려 하니 바퀴가 헛돌면서 연기가 난다. 사내는 그 상태로 차를 멈춘다. 사내가 밑에 있는 뭔가를 집으려고 고개를 숙이자 대니는 총을 상상한다. 교통경찰 한 명이 그 사내를 주시하고 있지만 다가가지는 않는다. 대니가 그 경찰에게 가서 그가 밑에 있는 뭔가를 집으려 한다고 말한다. 그리고 길에 사람들이 바글바글하다는 사실을 지적한다. 경찰은 겁 먹은 눈치다. 대니가 직접 가서 사내를 차에서 끌어낸다. 그다음 경찰에게 인계한다. 경찰이 사내를 체포한다.

표면 장력

문화적 지형은 탐지되거나 감지된 표면 장력들로 동요한다.

여자는 배심원 의무를 이행하라는 통보를 받는다. 한 젊은 아프리카계 미국인 남성이 재물 손괴와 주거 침입 혐의로 최소 징역 5년 형을 받을 위기에 처했다. 배심원 선정 과정에서 법률가들이 한자리에 모인 400명의 사람에게 이의가 있는지 묻는다. 여자가 이의가 있다고 말한다. 여자는 자동 선고에 반대한다. 여자는 상황을 알고 싶다. 그냥 죽은 상황이 아니라 살아 있는 사건을. 여자는 불법 행위의 배경이 될 만한 가상의 상황들을 제시해본다(그가 아이들에게 줄 빵 한 덩어리를 훔치고 있었다면 어떤가?). 법률가들은 몹시 지루해하고 대놓고 무례하다. 그들은 몇 가지 다른 반대 의견을 각하한 뒤에, 그 방에 있는 딱 네 명의 흑인들, 모두 여성인 그 흑인들에게 주의를 집중한다. 그들은 그들의 반응을 유도한다. 그들은 그들에게 질문한다. 그들은 그렇게 얻어낸 간략하고 위엄 있는 대답들을 주의 깊게 듣는다.

그날 모인 사람들이 용건을 마치고 해산할 때, 보도를 걷던 여자는 우연히 그 흑인 여성 네 사람의 뒤를 따라 걷게 된다. 그들은 아까보다 훨씬 활기차다. 그들은 형벌에 아무 의미가 없다는 얘기를 나누는 중이다. 피고가 법률가들이 말하는 그런 짓을 진짜로 했다면, 처벌받아야 한다. 하지만 심판은 법률가들의 재판정에서 이뤄지지 않는다. 심판은 신의 재판정에서 내려진다. 다음 날 아침, 그들 네 여성이 판사와 면담을 하러 간다. 판사는 그들을 배심원 선정에서 탈락시킨다. 그러자 피고의 변호사들이 즉각 유죄를 인정한다. 피고는 재범이었기 때문에 25년 형을 선고받는다. 여자는 이 모든 일에 놀란다.

일요일 아침마다 노숙인 남성들이 길 저쪽에 있는 여호와의 증인 교회에서 아침을 먹기 위해 줄을 선다. 다양한 인종의 남성들이다. 하지만 이곳은 인종 화합의 유토피아가 아니다. 그들은 덥고, 피곤하고, 기분이 언짢고, 그 자리가 불편한 듯하다. 그들은 비참함과 황폐함의 상징과도 같은 모습으로 소지품을 전부 더러운 배낭에 넣어 짊어지고 버스를 타거나 걸어서 도시를 가로질러 온다. 그러고는 다시 그 길을 되짚어간다. 그들이 일주일 중 이 특정한 순간을 싫어하는 것이 누가 봐도 역력하다.

여자가 아는 사람 중에 결혼한 적 없이 혼자 사는 40대 여성이 있다. 그녀의 삶은 일과 좋은 친구들과 가족과 갖가지 열정과 자각으로 가득 차 있다. 하지만 세상에는 그녀의 삶이 시작됐음을 알릴 어떤 틀이 없는 듯하다. 그녀는 어리석은 일이라는 걸 알면서도, 끊임없이 흐르는 저류를 거슬러 헤엄친다.

여자는 동네에서 일어난 자살 사건 얘기를 듣는다. 30대 남성이었다. (그가 이사 오기 전에) 종종 파티가 열리던 훌륭한 정원이 딸린 멋진 작은 돌집을 임대한 사람이었다. 그는 여자 친구와 얼마 전에 헤어졌다. 그와 연락이 닿지 않자 걱정이 된 전 여자 친구가 이웃 사람에게 한번 가서 봐달라고 부탁했다. 그가 주방에서 목을 맨 지 며칠이 지나서였다. 전국에서 친척들이 와서 그의 물건들을 트럭에 실었다. 그들에게 중요한 건 오직 그것뿐이라는 듯이 물건을 놓고 싸우기도 했다. 그의 오토바이가 행방이 묘연했다. 그들은 그의 전 여자 친구가 오토바이를 훔쳐 갔다고 비난했다. 그때 누군가 이웃집 앞마당에서 그 오토바이를 발견했다. 분명 누가 거기에 두었을 것이다.

약간의 도발에도 원치 않는 격렬한 감정이 부글부글 끓어 오른다.
그러다 마치 인간적 접촉의 시늉만 있으면 원치 않는 격렬한 감정이 해소되기라도 하듯이, 아주 사소한 인간적 친절의 행위나 이미 다 아는 냉소적인 유머를 나누는 한순간이 상황을 바로잡을 수 있다.
여자가 뉴햄프셔주의 어느 도로 요금소에 다다른다. 징수원이 앞차가 뒤차 요금까지 냈다고 말한다. 뒤차가 여자의 차였다. 그 말이 무슨 뜻인지 이해하는 데 잠시 시간이 걸린다. 아! 징수원과 여자는 저 앞에서 다른 차들에 섞여드는 그 차를 바라본다.
여자가 아리아나를 데리고 동네를 산책하는 중이다. 백인 여성과 갈색 피부의 아기. 청소년 몇 명이 얼굴을 찌푸리며 지나친다. 멋지게 차려입은, 부러 과시하는 태도의 갈색 피부 소년들이다. 그런데 뒤에서 그중 한 소년이 상냥한 아이 목소리로 다른 애들에게 말하는 소리가 들린다.
"저 '귀여운' 아기 봤어?"
여자는 어느 이른 아침에 교정으로 차를 몰고 간다. 앞서

가던 트럭이 길 한복판에서 멈추더니 몸집이 큰 나이 든 여성이 길을 건너도록 기다려준다. 노인은 서둘러, 너무 빨리 길을 건넌다. 그러고는 뒤돌아본다. 먼저 트럭을 세워준 남자를, 다음엔 주변을 휘 돌아본다. 만 면에 웃음을 띤 채 어정쩡하게 손을 흔들며. 너무나 고마워하며.

환상들이 표류한다

소소한 환상들이 떠오른다. 힙한 젊은 백인 둘이 기분 좋게 펑키한 음악을 들으며 뉴올리언스 시내를 달리는 자동차 광고 같은 것 말이다. 창밖으로 보이는 아프리카계 미국인들의 생생한 거리 생활 풍경이 문득 차 안에 흐르는 음악과 딱 맞아떨어진다. 이 즐거운 우연에 놀라 서로를 쳐다보며 어깨를 으쓱거린다. 믿을 수 없는 일이지만 둘은 침착하게 받아들일 수 있다. 계속 가자. 그들이 (아니면 시청자인 우리가, 아니면 연애 강박이, 아니면 백인다움이, 아니면 힙함이, 아니면 무언가) 서라운드 음향을 동반한 예쁜 장면으로 봉합된다. 그들은 한동안 그냥 표류할 수 있다.

매끄러운 마주침이라는 감각적 꿈이 인종적 공포, 비이성적 분노, 분리, 차별, 폭력, 탈진의 물결들 위에 떠 있다.

아무리 일시적이거나 하찮게 보일지라도, 그리고 어떤 목적이나 근원적 원인에 끼워 맞춰질 수 있다 하더라도, 이것은 이데올로기일 뿐만 아니라 하나의 사건이다.

이것이 구체적인 일상의 구성에서 주목할 가치가 있는 수많은 사소한 '무언가' 중 하나다.

사라지는 행위들

황홀한 작은 사라짐의 형태들이 싹을 틔웠다. 우리는 완성된 삶이라는 꿈을 꿈꾼다. 꿈의 직업 또는 꿈의 몸매가 완벽한 형태로 자리를 잡는다.
아니면 우리는 한순간에 바뀌는 마법 같은 것을 꿈꾼다. 후줄근한 옷차림으로 집에 있는데 복권에 당첨됐다며 카메라들이 들이닥치고 커다란 색색의 풍선 다발들이 하늘로 날아오르는 꿈. 혹은 밤에 외계인 우주선들이 나타나 이 세상 것이 아닌 공중 부양 기술로 우리를 끌어 올리는 꿈.
사라짐은 언제나 소위 말하는 '대중'이 지닌 특수한 재능이었다. 무표정의 표면 속으로 미끄러져 들어가기만 하면, 우리는 포획된 상태에서 벗어나, 모든 것으로부터 도망치는 유능한 몽상가가 된다.
무표정이 온 나라를 뒤덮었다. 놀이 공원과 외부인 출입이 통제된 주거 단지들과 집은 말할 것도 없이 반려동물, 커피, 책, 정원, 침실, 욕실, 피자, 타코, 햄버거, 장난감, 육아, 사무실 등 우리 삶의 모든 영역에 대응하려고 우후죽순으로 생겨나는 창고형 할인점 같은 쇼핑 메카들이 편안한 획일성을 제공하는 가운데 무표정이 매끄럽게 퍼져나간다.

평범함이 이 시대의 생명력이다. 우리는 1초도 단절되는 느낌 없이 평범함이 전시된 어떤 곳에라도 한동안 슬쩍 끼어들었다가 빠져나올 수 있다.

종합적으로 계획된

도시 확장에 뭔가 옳지 않은 구석이 있다는 건 누구나 안다. 목초지를 뒤덮고 퍼져나가는 베니어합판의 사막들, 텔레비전 앞에 앉아 감자튀김을 먹는 점점 뚱뚱해지는 아이들, 지역에 상관없이 똑같은 네 가지 기본 설계안을 따르는 적당한 가격의 꿈의 집이 슬금슬금 다가오는 유혹.

하지만 그 집들은 지금껏 우리가 우리 형편에서 기대했던 어떤 집보다 크고, 아름답고, 하얗다. 도저히 그 매력에 저항할 수 없을 정도로. 어느 날 당신은 한 견본 주택에 들어간다. 마치 꿈속으로 걸어 들어가는 기분이다. 완벽한 가족에게 필요한 모든 것이 마련돼 있다. 아들 방, 딸 방, 아기방이 만반의 준비를 마친 채 이렇게 속삭이는 듯하다. "이리 와요, 가족들이여, 여기로 와서 살아요." 그 집을 보면 그게 너무나 간단한 일로 보인다. 이미 다 끝난 일처럼.

여자가 종합 계획에 따라 도시 외곽 빈 부지에 건설된 주거 지구를 방문한다. 소방서, 학교, 경찰서, 유치원이 있고, 조깅용 샛길들이 나 있는 그린벨트도 있다. 아직 주변에 나무는 없고, 주택의 외장 벽면은 흠집 하나 안 난 플라스틱이다.

여자는 남부의 어느 시골 가게처럼 지어놓은 편의점에 들른다. 편의점 옆에 있는 부동산 영업소는 작고 귀여운 방갈로다. 다림질한 셔츠를 입은 남자 두 명이 잔디밭에서 편자 던지기 놀이를 하다가 여자를 보고는 함박웃음을 지으며 손을 흔든다. 그들이 소리친다. "어이! 이웃사촌!" 여자는 부동산업자들인 그 남자들이 부러 그 장면을 연출하고 있음을 알아챈다. 하지만 이건 분명하다. 여자에게 제시된 것은 소도시에 대한 향수가 아니라 인위적으로 구축된 그 환경의 굉장함 자체다. 새로이 부상하는 것들의 가치, 지역 자체의 건실한 분위기가 마감된 표면이라는 공동의 꿈속에 구현된 듯 말이다. 이것은 가볍게 살기 놀이 같다. 너무 멀리 가버린 가치. 어쩌면 사람들이 여기 집을 살 때 추구했던 건 꿈의 집만이 아니라 시류와 이 모든 일의 가벼운 필연성, 이 매끄러운 변화에의 동참이기도 했을 것이다.

세상에는 외부인 출입을 통제하는 주거 단지들을 비아냥대는 고정 관념이 만연하다. 연로한 부부가 자기 집 거실에 앉아 옆집 잔디밭에 아직도 시체가 그대로 있다며 불평하는 내용의 만화 같은 것들이 널려 있다. 하지만 동질성과 고립의 클리셰에 대한 비아냥은 지금 벌어지고 있는 일에 제대로 닿지 못한다. 이 꿈의 세계가 너무 멀리 가버렸다는 바로 그 점 때문에 매력적으로 받아들여지는 데에는 뭔가 더 근본적인 문제가 있다. 그리고 그 꿈이 별안간 깨지는 것으로 마무리되기를 바라는 데에도. 마치 계속해서 지켜보고 기다리면서 근육 스트레칭을 하는 것 같다. 이건 세상이 무너질 가능성, 세상의 요소들이 흩어지거나 다른 무언가로 재조합될 가능성에 정확하게 맞춰져 있다. 딱히 '수동적'이지는 않아서, 이건 극도로 예민하게 신경이 곤두선 데다 늘 여차하면 행동에 나설 태세를 갖추고 있다.

레저용 차량의 자유

은퇴한 인구 300만 명이 고급 레저용 차량에서 산다. 차량에는 부엌과 욕실, 대리석 조리대가 구비돼 있고 앞쪽과 뒤쪽에 따로 텔레비전이 달려 있다. 그런 은퇴자들은 대체로 커플이고 백인이다. 커플 티셔츠를 입고 범퍼에 '주차하는 곳이 집'이라든가 '온 더 로드 & 오프 더 레코드' 같은 문구가 적힌 스티커를 붙인다. 그들에게는 하루하루가 새 출발이다. 현재 있는 곳이 마음에 들지 않으면 그냥 차를 타고 떠나면 된다. 반려동물도 있고, 장기 계획도 있다. 그들은 역사 애호가로, 전쟁 기념물과 유령 마을들을 방문하거나 '루이스와 클라크 탐험로•'를 따라간다. 전국의 놀이공원을 방문하기도 한다. 또는 금속 탐지기로 보물을 발굴하거나 금덩이를 찾아 헤맨다. 그들은 아름다운 경관을, 또는 정자가 있는 뉴잉글랜드의 작은 마을들 같은 걸 찾아

• 1804년 5월부터 1806년 9월까지 미합중국군 군인 메리웨더 루이스와 윌리엄 클라크가 이끄는 탐험대는 토머스 제퍼슨 미 대통령의 명령으로 미주리강 상류에서 시작하여 콜럼비아강을 경유, 태평양까지 1만 2800킬로미터에 이르는 미개척지 탐험을 완수해 미국이 서부에 진출할 수 있는 길을 열었다. 1978년에 미국 국립공원청이 이들의 경로를 재현하는 탐험로 6000킬로미터를 정비하여 일반에 공개했다.

낸다.

그들은 월마트 전국 매장 지도를 이용하여 여정을 짠다. 월마트 주차장에서 자기 때문이다. 거기서라면 운전하느라 힘든 하루를 보낸 뒤에도 뭐든 필요한 걸 사서 바로 차량으로 돌아가 저녁을 만들 수 있다. 그들은 가게 안에서 서로를 찾을 수 있도록 워키토키 같은 간단한 통신 장비를 산다. 주차장에서 다른 레저용 차량 거주자들을 만나 서로의 장비를 둘러보기도 한다. 월마트를 이용하는 것이 재래시장에 좋지 않다는 걸 그들도 알지만, 경쟁이 없으면 이 나라가 어디로 가겠는가? 그들은 사회적 불평등이 삶의 진실이라고, 우리가 뭘 할 수 있겠냐고 말한다. 그들의 가장 큰 걱정거리는 휘발유 가격이다.[11]

주류화

대중적 욕망의 대상들이 순수한 유통의 꿈 자체를 만들어 낸다. 이동, 실시간 통신, 영화, 카탈로그, 상품들로 가득 찬 가능한 삶의 장면들로 구성된 새로운 생활양식들의 유혹 같은 꿈.

'주류 안에' 있는 경험은 지금 세상에서 벌어지는 '중요한 무엇'과 말 그대로 같이 '호흡'한다는, 구체적인 감각적 경험이다.

하지만 지나치게 무겁거나 지나치게 지속적인 것은 없다. 그건 말려들지 않으면서 호흡을 맞추는 일이다. 흔한 대중적 경험의 얇은 층 위에 자리한 가벼운 접촉 지대다.

삶은 어쨌든 매끄러울 수 있으며 우리는 세상 돌아가는 사정에 밝다는, 핵심에 속해 있다는, 속지 않는다는 환상. 우리에겐 어떤 일도 일어나지 않을 것이며, 우리가 하는 어떤 일도 진짜로 결말이 나지는 않으리라는, 어쨌든, 고치지 못할 것은 아무것도 없다는 환상.

'주류 안에' 있는 경험은 구명조끼 같다.

하지만 가볍게 삶에 참가하려는 그 강한 욕구는 어쩐지 전기를 충전해주는 회로 같은 느낌을 남긴다.

마음이 있는 곳이 집이다

마음이 있는 곳이 집이다. 안으로 들어가 문을 쾅 닫아버릴 수 있다. 우리는 크고 아름답고 감각적인 주거 상품을 꿈꾸고, 고풍스러운 석재와 귀한 금속재로 마감한 욕실을, 화려하게 장식한 유토피아를 꿈꾼다. 하지만 '집에 있음'의 공감각은 언제나 이미 민영화나 합리적인 축재, 가족 가치, 모종의 정체성이나 생활양식이나 다른 무언가 같은 대중적 유행의 광풍 속을 떠돌고 있다.

아메리칸드림은 정물화의 형태를 취한다. 진입로에 세운 SUV 옆에 단출한 일가족이 이쪽을 쳐다보며 서 있다. 손에는 주식 포트폴리오가 들려 있고, 모든 것은 보험에 가입돼 있으며, 할부금은 꼬박꼬박 납부되고, 마당은 깔끔하게 다듬어졌으며, 배 속엔 신경 써서 조리한 무지방 음식이, 동네엔 경비 시스템이 있다. 마사 스튜어트가 마무리 손길에 조언을 더한다.

그러나 한편으로는 편안히 거하는 집 한복판에 소소하게 사라지는 행위들이 나타나기 시작하여 이 상황에 다른 자극을 가한다. 때로는 마음이 집으로 끌고 오는 모든 것에 중독과 고립, 썩거나 아무짝에도 쓸모없는 무언가의 암시가 흩뿌려진 듯이 보일 때가 있다.

방송 전파를 타고 무서운 이야기들이 새어든다. 평범하고 친근해 보이던 공간들이 숨겨진 부패와 재앙과 고립과 범죄의 현장임이 드러난다. 사회복지사가 드나드는 와중에도 자기 집에서 맞아 죽은 생활 보호 대상 아동들이 있다. 헤어진 여자 친구의 이동식 주택에 침입해 침대에 있던 전 여자 친구와 그녀의 새 남자 친구를 쏴 죽이는 남자들이 있다. 며칠씩 개 짖는 소리가 들리고서야 이웃에게 발견되는 시체들이 있다. 고학력 중산층 부부가 기르던 길고양이 100여 마리를 집 안에 가둬둔 채 말없이 휴가를 가는 바람에 일부가 죽은 채로 발견되었다는 이야기 같은, 기묘한 특집 기사들이 있다.

거기 무슨 일이에요?

실비의 이웃인 토미는 언덕 끝자락에 있는 자기 집에서 '그 문제'에 골몰해왔다. 그는 어떤 여성과 같이 산다. 그녀는 술꾼이다. 그녀는 텔레비전 앞에 앉아서 밖으로 고개 한번 내밀지 않는다. 실비는 그 집 여자가 취한 채 앞마당에 나와 있는 걸 보았고, 어디서도 들어본 적 없는 불쾌하기 짝이 없는 욕설을 들었다. 한번은 너무 심하기에 실비가 화니타를 보내 어떤지 보고 오라고 했다. 화니타가 내려가 보니, 토미가 여자에게 수갑을 채워 라디에이터에 묶어놓고는 여자의 머리를 바닥에 짓찧고 있었다. 경찰이 그를 데려갈 수밖에 없었다. 그러고는, 아니나 다를까, 그 여자는 곧장 그에게 돌아갔다. 실비가 그 여자는 '한번' 맞아야 정신을 차린다고 말했다. 화니타는 자기는 둘이 서로를 죽이든 말든 상관없다고, 아니, '그러기를' 바란다고, 하지만 토미의 어린 딸 앞에서 그러지는 않는 편이 좋을 거라고 토미와 그 여자한테 직접 말했다. 화니타는 상황이 정리될 때까지 소녀를 언덕 위에 있는 자기 집에 데려가 돌보았다.

라스베이거스에 있을 때, 여자는 옆집 남자가 식구들을 폭행한다고 의심했다. 밤에 트레일러하우스의 얇은 벽 너머로 싸우는 소리가 들리곤 했다. 남자가 소리를 지르고, 뭔가가 쿵 하고 벽에 부딪히고, 여자가 비명을 지르고, 청소년인 아이들이 살금살금 집에서 나와 풀이 죽은 채 바깥을 어슬렁거리곤 했다. 그러던 어느 날 그 남자가 비좁은 현관 앞 베란다에서 담배를 피우다 난간이 부서지는 바람에 마당처럼 쓰는 넓은 자갈밭으로 떨어지는 일이 있었다. 그는 엎드린 채 움직이지 않았다. 그의 아내와 아이들이 천천히, 조심스럽게 밖으로 나와 멀찍이 떨어진 곳에서 그를 살펴보았다. "괜찮아?" 긴 정적. "아니, 안 괜찮아." 하지만 그들은 사진처럼 꼼짝도 하지 않고 거리를 유지했다.
그로부터 얼마 지나지 않아 그 가족이 사라졌다. 이삿짐 차량도 작별 인사도 없이, 그냥 어느 순간 있다가 사라졌다. 그런데 좀 지나고 보니 그 남자는 아직 거기 사는 것 같았다. 어느 밤에 그가 미친 듯이 웃는 소리가 들렸다. 비우지 않은 맥주 캔들이 쿵쿵 벽에 부딪히는 소리도 들렸다. 그 일 이후로 밤에 텔레비전이 시끄럽게 켜져 캄캄한 그 트레일러 안에서 푸른빛이 번쩍거리고 그가 영 엉뚱한 장면에서 큰 소리로 웃는 경우가 종종 있었다. 어느 밤 여자는 그가 자기 집 거실 창가에 서서 그녀를 뚫어지게 쳐다보고 있는 걸 보았다. 여자는 두꺼운 커튼을 달고 늘 창을 가리고 지냈다. 그러다 그의 집 현관문에 난 장식용 유리창으로 밖을 내다보는 그의 정수리가 보이기 시작했다. 여자는 까치발로 선 그를 상상했다. 이전까지는 잘 모르겠지만, 지금은 그가 완전히 미친 게 틀림없다고 생각했다. 여자는 밤에도 가끔 그 작은 유리창에 그의 정수리가 보이는지 힐끔거렸다.

몇 년 후에 오스틴에 사는 친구가 똑같은 이야기를 했다. 옆집에 웬 이상한 남자가 있는데, 같이 살던 여자가 떠난 후에 혼자 살고 있다는 것. 그가 캄캄한 집 안에서 맥주 캔을 벽에 던지고 번쩍거리는 텔레비전의 푸른 불빛을 향해 영 엉뚱한 장면에서 웃는다는 얘기였다.

텔레비전 수리 기사

여자의 남동생 집에 유선 방송이 나갔다. 수리 기사가 와서 말한다. "제가 누군지 아세요?" 알고 보니 뉴스에 나왔던 사람이다. 그가 어느 집에 텔레비전을 수리하러 갔다. 무릎을 꿇고 작업하고 있는데 그 집에서 키우는 핏불테리어가 공격했다. 개가 남자의 다리를 콱 무는데도 그 집 식구들은 웃기만 했다. 다행히 남자가 공구 벨트를 차고 있어서 드라이버를 빼 들고 개를 죽였다. 개 주인들은 격분했다. 하지만 지역 뉴스에서는 수리 기사가 피해자이자 영웅이었다.

여자는 이 이야기를 듣고 엉뚱한 농담이나 괴상한 이야기들을 즐겨 보내는 한 지인한테서 받은 이메일이 생각났다.

> 어느 집 식기세척기가 작동을 안 해서 여자가 수리 기사를 불렀어. 다음 날 일하러 나가야 했기 때문에 기사에게 이렇게 말했지. "현관 매트 밑에 열쇠를 둘게요. 식기세척기를 고치고 나면 청구서를 조리대에 놓고 가세요. 제가 우편으로 수표를 보낼게요. 그건 그렇고, 도베르만은 걱정할 필요 없어요. 귀찮게 하지 않을 거예요. 하지만 무슨 일

이 있더라도, 어떤 상황에서도, 앵무새한테 말을 걸지 마세요!" 다음 날 수리 기사가 그 집에 도착해보니 여태껏 본 중에 가장 크고 가장 사악하게 생긴 도베르만이 있었지. 그런데 여자 말대로 개는 카펫에 누워서 수리 기사가 지나가도 멀뚱멀뚱 쳐다보기만 했어. 하지만 앵무새가 끊임없이 소리를 지르고 저주를 퍼붓고 욕을 하는 통에 그는 거의 미칠 지경이 되었어. 결국 수리 기사가 더는 참지 못하고 소리를 질렀어. "닥쳐, 이 멍청하고 못생긴 새야!" 앵무새가 대답했지. "스파이크, 물어!"

고치

마음이 있는 곳이 집이다. 하지만 그 테두리에서 한 발짝만 빠져나오면 상황은 순식간에 불확실해진다. 난데없이 문을 두드리는 소리나 밤에 울리는 전화벨 소리에, 우리는 지금 집이라 부르는 이 칩거가 멍한 트라우마 상태와 얼마나 유사한지 섬뜩하게 깨닫는다.

집이라는 고치는 빈사 상태로 산다. 무방비하고, 여리고, 쉽게 상처 입고, 과민하다.

리모델링이나 쇼핑, 집 정리, 가구 재배치, 목록 만들기, 일기 쓰기, 공상하기, 복권 사기 같은 의도적인 계획으로 드러나는 숙달된 가능성으로 산다.

관념에서 물질로의 도약과 복귀를 연출하는 행위들은 꿈의 세계를 평범한 사물들의 세계에 융합시킬 수 있다. 물체들이 삶의 장면들에 자리를 잡고 사물들 안에서 여전히 공명하는 과거의 흔적들에 맞선다. 화장대에는 아무렇게나 던져놓은 잔돈과 필기구, 영수증, 책, 여기저기 흩어진 장신구, 사소한 물건들, 아이의 그림, 오랫동안 외면받은 당장 해야 할 일 목록이 있다. 창문 옆에 배치된 작은 나무 탁자는 그곳이 진정으로 격리된 '안'임을 보증한다.

하지만 평범한 삶들에 다가가는 꿈은 그 격동의 순간에만, 그 정물화의 반향 또는 완벽하게 잔디밭을 다듬는 관습 속에서만 산다. 꿈은 제 계획대로, 제 무절제를 통해 저 자신을 말소한다. 상상의 비약 속에서 까무룩 잠들고, 열광적인 실행 계획으로 풀쩍 뛰어오르고, 지나치게 자신을 확장한다. 편집증이나 완벽주의, 또는 은밀한 기능 장애라는 작은 혹들로 굳는 야생의 덩굴손들을 길러낸다. 마술처럼, 세상에 자기 자신을 각인할 수 있다는 듯이 자신을 어느 기호에 끼워 넣으려 한다. 외부인의 출입을 통제하는 주거지의 규정들은 곧 붕괴 지점에 이르러 패러디와 끝없는 법적 분쟁의 장을 연다. 차고 문은 늘 닫혀 있어야 한다, 커튼은 중간색만 허용된다, 허가 없이 앞마당을 파서는 안 된다, 마당에 빨랫줄을 걸면 안 된다, 진입로에 트럭을 세워서는 안 된다, 허가 없이 나무를 심어서는 안 된다, 어르신 거주 구역에 손주들의 방문은 금지된다. 예외는 없다.

터너 일기

『터너 일기』는 인종주의적이고 파시스트적인 소설로, 백인 우월주의 단체 '내셔널 얼라이언스'의 지도자였던 고故 윌리엄 루터 피어스가 1996년에 앤드루 맥도널드라는 필명으로 쓴 책이다. 이 책은 인종 학살 위에 새로운 세계 질서가 세워지리라 예언한다. 과거의 어느 날, 정부 암살단원들이 평범한 가정집들에 침입한다. 단단한 벽으로 보이는 곳들을 뜯어내고 숨겨진 총기들을 꺼낸 다음, 가축을 몰듯 사람들을 포위한 채 대대적인 체포 작전을 벌인다. 소설의 줄거리는 이 가상의 '끔찍한 날'에서 시작된다. 그 원초적 트라우마가 무장 민병대 운동에 불을 붙이는데, 이 책은 세기말적인 '일상'을 세세하게 묘사하며 그 운동을 그려낸다. 우익 음모론 이론가들과 생존주의자들의 지침서처럼 읽히는 이 책은 오클라호마시 폭탄 테러에 영감을, 그것도 아주 세세하게 영감을 주었다고 널리 인정받는다. 어떤 사람들은 이 책의 마지막 부분에 나오는 펜타곤을 상대로 한 자살 테러 사건과 2001년 9월 11일에 현실에서 일어난 테러 공격 간에 모종의 관계가 있다는 섬뜩한 주장을 내놓기도 한다. 이 책에서 9월 11일은 '그 조직'이 휴스턴시에 공격을 감행한 날이기도 하다(또한 그 날짜는 윌리엄 루터 피어스의 생일이다). 『터너 일기』를 탄생시킨 세계는 이상한, 떠돌아다니는 연관성으로 채워진 그런 세계이다.

하지만 가장 놀라운 점은 이 책이 가정에서 일어나는 일들과 매일 이어지는 삶의 세세한 일상적 부분들에 집중한다는 점이다. 이 책은 군대를 조직하는 법이나 폭탄 만드는 법만 조언하는 것이 아니라, 아늑한 피신처를 꾸미는 법이라든가 지하에 머물며 집 안을 건사하는 법도 알려준다. 여기 등장하는 영웅들은 용감한 행동과 동지애가 아닌, 기계 다루는 솜씨와 사냥 실력, 성적인 능력, 가사 노동 실력을 연마함으로써 두각을 드러낸다.

이 책은 가사 노동 경쟁력을 높이기 위한 비법서이다.

작은 세계 하나가 눈에 들어온다. 군대를 본뜬 집단 문화와 기술 문명에 기반한 세상이지만, 꿈의 세상을 상상하는데 필요한 질감들과 세세한 감각적인 것들로 가득 찬 세상이기도 하다.

이 생생하고 정서적인 감수성과 관행들의 집합체 덕분에 이 책은 그저 관념적인 통렬한 비난(확실히 그렇다)에 그치지 않고 걱정과 집착과 강박과 뻔한 만족으로 가득 찬 삶의 한 장면이 된다.

이 책의 내용이 흥미진진한 데다 폭탄 제조만 다루는 게 아니란 걸 알아챈 독자들이 어떻게 이 책을 자습서로 삼게 되었는지는 상상하기가 그다지 어렵지 않다. 일종의 자가 발전한 인종주의자들이 생겨난다.

반면 아직 거기까지 넘어가지 않은 독자들에게 이 책을 읽는 건 좀 기분 나쁜 경험이다. 언뜻 보기에는 무질서와 오염과 부패에 대한 인종주의적인 분노에다 잘 단장된 교외 잔디밭과 마사 스튜어트풍 실내 장식에 관한 관심과 자기 캐릭터에게 입힐 의상과 총을 고르며 대리 만족하는 판타지 게임을 기묘하게 버무려놓은 것 같은 책에 푹 빠져들다니 말이다.

자아

자아는 이 모든 것과 일치하지 않는다.

이것은 꿈꾸는 듯한, 공중에 붕 뜬, 아직은 아닌 어떤 것이다.

격렬한 감정들을 품은 우화인 이것은 그 감정들 속에서 자신을 발견한다. 이것은 새로운 무엇, 또는 층층이 쌓인 습관 속에 파묻힌 무엇에 강제되는 놀라운 움직임과 상황 들로부터 자신을 만들어낸다.

이것은 과민해져서 다루기 어렵고, 변덕스럽고, 그러다 잠들 수 있고, 아니면 걱정 탓에 갈수록 무뎌질 수 있다. 이것은 공상 뒤에 실망이나 만족, 분노, 휴식이 뒤따르는, 빠르게 오르내리는 반복적인 순환에 사로잡힌다.

이것은 사라짐의 꿈들 속에, 이것을 손에 넣거나 아니면 완전히 관계를 끊는 꿈들 속에 비스듬하게 존재한다. 관심과 애착의 형태들이 이것을 계속 움직이게 한다. 과도한 경계심, 현실 부정否定, 혼란, 온갖 종류의 감각적 놀이, 어떤 일이 일어나고 있다는, 모호하게 감지되는 조짐, 도주로를 찾는 끊임없는 무의식적 탐색 같은 것들이.

경계선들

여자의 친구인 대니가 한동안 자살예방긴급전화센터에서 야간 담당으로 일했다. 그는 경계선 인격장애를 겪는 사람들이 최악이라고 말했다. 그들은 관심을 받으려고 자꾸만 전화를 걸어댔다. 그들이 벌이는 지루한 놀이에 맞춰주다 보니, 또 그들이 멀쩡하다고 판단되는 때에는 어떻게든 도우려 하다 보니, 대니는 그들 모두를 알게 되었다. 그러나 그들은 늘 손이 닿지 않는 곳으로 빠져나가서는 다시 전화를 걸어 와 쥐와 고양이 놀이를 반복했다.

하지만 정확하게 새벽 네 시가 되면 모든 전화가 멈추었다. 대니는 교대할 때까지 남은 두 시간 동안 바닥에 누워 잠을 자곤 했다. 경계선들도 얼마간은 잠을 잘 수밖에 없으려니 짐작한다고 그는 말했다. 하지만 그게 시계처럼 정확한 걸 보면, 기묘한 일이었다.

정서적 주체

정서적 주체는 궤도와 회로의 모음이다. 우리는 펄럭거리는 촛불 같은 현재의 조명을 받아 언뜻언뜻 불안정하게 보이는 과거의 조각들을 통해 그것을 인식할 수 있다. 또는 가야 할 길 위에 그것을 투사한다. 또는 알고 보니 이미(다시금) 휩쓸려 있는 데다, 이제는 어떻게 할 수도 없는 어떤 패턴으로서 그것에 깃들어 산다.

우리는 정서적 주체를 어린아이 달래듯 달랠 수 있다. 아니면 엇나갔다고 잠시나마 벌할 수 있다.

저기서 혼자, 그것은 자신을 존재로 슬쩍 밀어 넣을 현장이나 작은 세계를 찾는다. 그것은 어떤 사람이 되고 싶어 한다. 가벼워지려고 애쓰며, 자신을 해방시키려고, 자신이 되는 법을 배우려고, 자신을 잃으려고 애쓴다.

어느 것도 쉽지 않다. 대놓고 의지력과 긍정적 사고를 말하는 이들은 행위자를 행위하도록 만드는 인과적 힘이 제 궤도에 오르기만 하면 해결되는 문제라고 주장한다. 실제 개인들이 겪는 모든 지리멸렬한 일들을 마치 나쁜 버릇이나 숙취처럼 내다 버릴 수 있다는 듯이 말이다. 하지만 늘

역효과가 일어난다. '자기 만들기Self-Making' 프로젝트들은 각종 중독의 사회적 확산과 서점 자기계발 매대의 확장과 정확하게 같은 비율로 증식한다.

강화된 인과적 힘의 상징은 각종 불평과 자기 파괴, 도피, 재발명, 구원, 실험의 전략이 태어나는 산실이 된다. 모든 것이 인과적 힘에 달렸다는 듯이 말이다. 하지만 늘 뭔가 더 있게 마련이다.

별안간

일과 중에 별안간, 어렴풋이 알던 어떤 힘이 섬뜩하게 느껴져 퍼뜩 고개를 들 때가 있을 것이다.

쓰다 만 개인적/집단적 재앙의 기호들이 거리마다 흩어져 있다. 매일 마주치는 노숙인들의 모습이 뭔가 끔찍한 것이 주는 충격과 함께 세상의 견고한 모든 것에 어려 있다. 구걸 팻말을 든 그들의 발치에서 강아지들이 장난을 친다. "배가 고픕니다." "실직 가장입니다. 도와주세요." "신의 가호가 있기를." 팻말은 최면을 거는 듯한 불쾌한 힘으로 우리 감각을 강타한다. 지나가는 길에라도 알아달라고 간청한다. 팻말은 의지력의 가치를 주장하는 이데올로기의 심장을 향해 손짓하고("실직 가장입니다. 도와주세요") 단순한 구원의 꿈을 말로 드러낸다("신의 축복이 있기를"). 하지만 너무 슬프다. 그건 이 무언극에 어떤 영향도 주지 않으며, 어떤 일반적인 욕망의 장면도, 따라야 할 어떤 생명력의 줄기도, 철저히 파헤쳐야 할 어떤 은밀한 비밀도, 안전이나 건강을 위해 받아들여야 할 어떤 조언도 주지 않는다.

노숙 문제를 어떻게 해결해야 하는지는 고사하고, 노숙인과 마주쳤을 때 시선을 어떻게 처리해야 하는지에 관한 사회적 합의조차 없다.
피해야 할 역병이라도 되는 양, 시선은 노숙인의 팻말에 적힌 글자들을 외면한다. 하지만 그 팻말은 울컥하는 정서를 자극하여 심오한 장면을 낳기도 한다.
어느 차 창문에서 1달러짜리 지폐가 고개를 내밀면 그쪽으로 황급한 쏠림이 일어나고, 고양된, 계산되지 않은, 날것의 접촉이 주는 정서가 일어난다. "신의 가호가 있기를."

세상이 떠다니기 시작했다

세상이 떠다니기 시작했다.
폭신한 고치들처럼 꿈의 세상에 매달린 우리를 남겨두고, 단단한 땅이 물러난 듯이. 삶의 조건과 가능성이 스스로 떠다니기 시작한 듯이.
우리는 우리가 다들 표류하고 있음을 알고 그 속에서 고립과 순응을 알아챘다. 우리는 이 표류가 매끄러운 항해술에서만큼이나 회로 과부하와 붕괴에서도 연료를 얻고 있음을 안다. 하지만 부력浮力도 있음을 부인할 수 없다. 도박꾼, 투기꾼, 중독자, 쇼핑몰로 북적거리는 활기 말이다.

영웅이 되어 귀가하세요

우리는 쇼핑한다.

때때로, 혹은 항상.

너무 많이, 혹은 불충분하게.

광휘를 안고, 혹은 부끄러움을 안고.

필요를 위해, 치유를 위해, 휴가 중에.

제각기, 재고 처리 전문점 아니면 고급 백화점 아니면 대형 할인 매장에서.

싸고 편리하고 어디에나 있기에, 그리고 요즘 뜨는 것이기에 대형 매장에서 쇼핑한다. '알뜰한 생활'과 '영웅이 되어 귀가하세요' 같은 기묘하게 낙관적인 그곳의 표어가 쇼핑에 살짝 초현실적인 색깔을 덧씌운다. 딱 알맞은 각도로 선반에서 튀어나온 형광 주황색 가격표 덕분에 할인 판매 상품을 놓칠 일도 없다.

가처분 소득이 넉넉하다면, 그건 중요한 문제다. 돈이 전혀 없다면, 그건 또 다른 중요한 문제다.

돈이 빠듯하면 우리는 머리가 멍해질 정도로 한 푼 한 푼 따져가며 신중하게 쇼핑해야 한다. 온갖 할인 쿠폰들. 갖가지 전단지들, 환상들, 이것 아니면 저것을 사는, 그리고 그걸로 무엇을 할지 상상하는 놀이들. 그러다 특대형 아이스크림을 통째로 사는 과시 또는 라스베이거스 여행이라는 자멸적인 낭비.

여자는 딸아이 아리아나를 데리고 음악이 시끄러운 슈퍼마켓에서 쇼핑한다. 아기를 웃기려고 통로를 달려갔다가 달려온다. 사람들이 미소를 짓거나 와서 보거나 뭐라고 말을 건다. 어느 날은 아이들이 떼로 뭉쳐 둘의 뒤를 쫓아 가게 안을 돌아다니며 아기와 까꿍 놀이를 하느라 법석을 떤다. 또 어느 날은 통로에서 옆에 있던 남자가 새소리를 내기 시작한다. 놀란 아리아나가 고개를 홱 돌려 그의 입을 쳐다보자 남자가 능숙하게 열 가지도 넘는 새소리를 연달아 낸다.

하루는 슈퍼마켓 계산대 앞에 줄을 선 잘생긴 젊은 남자를 본다. 주머니에 이름이 찍힌 수리공 작업복 차림이다. 그는 말하거나 웃을 때 손으로 입을 가리지만, 다들 어떻게든 눈길을 주게 된다. 치아가 전체적으로 보기 흉하다. 몇 개는 입 밖으로 쑥 삐져나왔다. 한쪽엔 덧니들이 났다. 어릴 때부터 지금까지, 치과에 간 적이 한 번도 없는 것 같다.

여자는 가끔 다들 '푸드 스탬프 랜드'라고 부르는, 가난한 사람들의 슈퍼마켓인 푸드랜드에서 장을 본다. 다른 가게들보다 음악이 더 시끄럽다. 소독제 냄새가 나고, 계산원들은 목에 굵은 금 목걸이를 주렁주렁 두르거나 하늘색 아이섀도를 발랐다. 값싼 맥주와 빵을 사려고 노숙인들이 강가에서 걸어온다. 사람들이 주차장에 자동차와 트럭을 세워놓고 거기서 산다. 여자는 두 아이와 함께 트럭에서 사는 한 여성을 의식하기 시작한다. 머리가 길고 검은데 정수리에는 늘 커다란 흰색 원이 있다. 어느 날 밤에는 안절부절못하는 얼굴이 붉은 남자와 같이 있다. 그는 맥주가 여섯 캔에 2달러라는 사실을 발견하고 흥분해서 그녀에게 달려간다. 그녀가 그에게 엄한 시선을 던진다. 그가 말한다. "왜? 콜라! 콜라 얘기하는 거야! 애들한테 줄 싼 콜라를 찾았어!" 그는 인정받지 못한 영웅인 양 짐짓 화난 듯 행동하려 하지만 연기에 그다지 소질이 있는 것 같지는 않다.

며칠 후에 여자는 학교에서 그 남자를, 안절부절못하고 얼굴이 붉은 남자를 본다. 그가 라틴계 남자 둘과 아프리카계 남자 하나와 같이 학교 정문 앞에 있는 길을 건넌다. 그들은 노랗고 큰 거리 표지판들을 들고 있는데, 붉은 얼굴 남자가 말한다. "이거 대단하지 않아? 거봐, 내가 뭐라고 했어?" 그들이 긴장하고 흥분한 채 재빠르게 움직인다. 하지만 학교 쪽 인도에 발을 딛는 순간, 그들은 머뭇거리며 둥그렇게 모여 선다. 그들 중 흑인 남자가 보안…… 경찰에 관해 무슨 말을 한다. “이런 빌어먹을! 아, 젠장!” 경찰차 한 대가 그들 앞의 연석에 멈춰 선다. 흑인 남자가 용감하게 다가가서 머리를 차창 안으로 들이민다. 그다음 붉은 얼굴 사내가 천천히 경찰차로 다가간다. 그들이 교정에 머무른 시간은 채 1분이 되지 않았다.

일상은 마음이 생각하기도 전에 일어날 수 있다. 약간의 충격과 지각, 혼란, 기시감은 더없이 일상적인 행위와 행동에 자극을 준다. 우리는 가끔 하던 일을 멈추고 내가 어디까지 와 있는지 뒤를 돌아봐야 한다.
대형 할인 매장에서 계산원이 여자가 산 진공청소기 먼지 봉투가 무엇에 쓰는 물건인지 묻는다. "예?" 여자는 계산원의 질문을 이해하지 못한다. 아마 이제는 진공청소기 먼지 봉투가 쓰이지 않거나 뭐 그런가 보다. 계산원이 자기는 진공청소기가 작동하지 않을 때마다 그냥 내다 버렸다고 말한다. "예?" 그러고는 진공청소기용 먼지 봉투라는 걸 따로 파는지 몰랐다고 말한다. "예?" 여자는 지금쯤은 기업들이 일회용 진공청소기 같은 걸 만들었나 보다고 생각한다. 어쩌면 젊은 사람들은 그런 걸 쓰는지도 모른다. 그러거나 말거나. 하지만 여자는 약간 겁이 난다. 아니면 당황했거나. 아니면 다른 무언가일 지도.
어느 날 여자는 반려동물 매장에서 기시감을 느낀다. 여자의 배우자 론이 한 줄로 늘어선 어항 앞에서 점원과 얘기를 나누는 사이 아리아나가 어항마다 얼굴을 들이대며 돌아다닌다. 청록색 물이 채워진 벽에 주황색 점들이 반짝거리며 돌아다닌다. 여자는 예전에 딱 이런 현장에 있었던 듯한 느낌이 든다. 꿈에서였을지도 모르지만.

1990년대 초반에 여자는 스테이플러가 내장된 복사기에 놀란 적이 있다. 어빈시에 있는 인문학연구소에서 연구원으로 일하는 마지막 주다. 집에 가져갈 논문을 서둘러 복사하는 중이다. 동료 연구원이 들어와 종이 몇 장을 기계 옆면 칸에 집어넣더니 스테이플러가 찍힌 상태로 꺼낸다. 여자는 그제야 복사기에 스테이플러가 내장되어 있다는 사실을 알고 약간 충격을 받는다. 불편한 감정이 번지며 생각이 꼬리를 문다. 내가 모르는 것이 뭐가 더 있을까? 왜 이런 걸 한 번도 들어보지 못했을까? 여자는 자동 응답기와 핸드폰과 자동 주유기와 현금 인출기에 대해 어머니가 느꼈던 불안을 느낀다. 자신이 익숙하게 다룰 수 없는 어떤 것과 마주치는, 그리고 그 사실을 들키는 공포. 일종의 문맹이다.

여자가 인터넷 쇼핑몰에서 유아용 침대 시트와 텔레토비 비디오를 산다. 어느 날 여자는 알록달록한 자격증이 첨부된 전자 우편을 받는다. "축하합니다! 이베이의 떠오르는 별로 선정되셨습니다!" 여자는 이베이 판매자들이 좋게 평가했다는 결과물로 노란 별을 받았다. 여자는 이베이 공동체의 존중받는 일원이다. "계속해서 별을 노려보세요!" 여자는 약간 의기소침한, 혹은 약간 어리벙벙한 기분이다. 여자의 친구인 앤드루가 1년 반 만에 잠깐 동네에 들른다. 돌아오니 너무 좋지만 한편으로는 힘이 빠진다고("내가 언제 다른 데 갔었나 싶어") 한다. 예전과 똑같은 것들이 너무 많다. 그렇다 보니 가끔 나타나는 생소한 것들이 유난히 눈에 띈다. 공터 아니면 너른 밭이었던 곳에 느닷없이 생겨난 집 같은 것들 말이다. 어쩌다가 거기 그런 게 생긴 거야? 어떤 사람들이 살아? 또 벽에 장식해 놓은 그 농구 트로피들을 어디서 그렇게 잽싸게 구했대?

극단적인 궤도들

막연하고 흐릿한 담론들과 추문들이 중대한 사회적 변화를 싣고 흘러 다닌다. 삶의 조건들이 어떤 것으로 조합되었다가는 또 다른 것으로 변한다. 때로는 극단적인 궤도들이 뿌리를 내리고 독자적으로 뻗어나가기 시작한다.

이언 해킹의 『영혼 고쳐 쓰기: 다중 인격과 기억의 과학』은 1980년대 '어린이집 (성적 학대) 스캔들•'이 어떻게 거짓 기억 증후군으로 변하고, 그런 뒤 다중 인격 장애

• 1983년에 미국 맥마틴 유치원에서 보육 교사들이 아이들을 악마 숭배 의식에 동원하여 학대했다는 고발이 나온 것을 시작으로 아동 보호 시설에서 다양한 성적, 신체적, 정신적 학대가 있었다는 고발이 전국에서 잇따랐다. 미국 사회는 집단 히스테리에 빠져 10여 년간 극심한 혼란을 겪었다. 아이들을 시설에 맡기고 일하는 어머니들의 죄책감과 어린이집 보육 교사들에 대한 불신, 근본주의 종교 집단의 보수적 가치 옹호 등이 뒤섞인 일반적 정서의 토대 위에서 스캔들이 급속도로 확장되었다. 이는 한편으로 성범죄자 신상 정보 공개 등을 명시한 아동 보호법 제정의 시발점이 되었다. 논란이 잠잠해지던 1990년대에는 '억압된 기억', '회복된 기억'이라 불리는 아동기 성 학대 기억의 진위 여부를 쟁점으로 한 '기억 전쟁'이 논란이 되었다. 아동기 피해 증언의 신빙성을 검증하려는 심리학 연구가 줄을 이었고, 아동기 기억이 조작될 수 있음을 시사하는 실험 결과들이 발표되면서 심리 치료사들이 거짓 기억을 주입한다는 부모들의 주장에 힘을 실어주어 친족 성폭력 문제가 공론화되는 데 장애물로 작용하기도 했다.

(MPD)와 '사탄적 제의를 통한 학대(SRA)'와 같은 극단적인 궤도에 오르게 되는지 추적한다.

보육은 노동과 성, 계급, 인종, 가족, 국가의 조건들에 뿌리를 둔 긴박한 사안이었다(지금도 그렇다). 직장에 다니는 어느 엄마가 있었다. 음주 문제가 있었는데, 그게 직장에서의 문제로 이어졌고, 다시 그것은 이런 상황에 뒤따르는 죄책감, 스트레스, 분노와 같은 보편적인 감정의 덩어리로 연결되었다. 그 무렵 아동 학대와 성적 학대에 관한 소문들이 급격히 퍼지기 시작했다. 어떻게 하다 보니 그녀의 작은아이가 다니는 어린이집이 성적 학대 소문에 휘말렸고, 이어서 가상의 세계가 생겨났다. 소송이 줄을 잇고 유죄 판결이 나고(나중에 모두 뒤집혔다) 어린이집마다 퇴원 사태가 일고 여성들의 경력이 단절되고 남성 보육 종사자들이 보육 현장에서 영원히 축출되어버렸다. 그러고서야 우리는 정신을 차렸다.

그 현상을 소재로 한 대중적인 책과 영화들이 등장해 대중의 마음속에 트라우마와 학대라는 극단적인 궤도들을 가늠하는 일종의 기준을 세웠다. 뒤이어 심리 치료사들이 환자들에게 독창적인 다중 인격 소설을 쓰도록 장려하는가 하면, 다른 환자들에게도 증상과 원인을 그럴듯한 말로 설명하며 다중 인격이라는 장애가 있으니 각자의 병명을 다시 확인해보라고 요구했다. 대담 프로그램들은 갈수록 더 많은 다중 인격을 가지고 더 열심히 증상을 설명하는 사람들을 내세움으로써 다중 인격 장애를 구경거리로 만들었다. 한때 열다섯 인격 정도이던 다중 인격의 기준이 빠르게 백 인격으로 바뀌었고, 치료의 목적도 그 인격들을 다시 하나로 통합하는 것에서 '다중'을 확인하고 분류하는 것으로 바뀌었다.

믿는 자와 믿지 않는 자, 트라우마 문화와 합리주의 간의 갈등 또한 그런 경향의 극단적인 궤도들에서 연료를 얻었다. 어릴 때 학대받은 기억을 회복했다고 주장하는 딸을 둔 어느 전문직 부부가 '거짓 기억 증후군 재단'을 세웠다. 이 압력 단체는 고도로 집중적이고도 섬세하게 사회적 압력을 행사했고, 결국에는 아동 학대를 저지르는 부모들에게 쏟아지던 비난의 화살을 학대 히스테리를 만들어내는 심리 치료사들과 고통받는 환자들 쪽으로 돌리기에 이르렀다. 다중 인격 장애를 겪는 사람들은 스스로 단체를 만들어 자신들의 증상을 병리화하기보다는 축복함으로써 이 '장애'를 하나의 해방 운동으로 탈바꿈시켰다. 그들은 '바뀐 자'라는 용어를 썼는데, 영적 에너지를 체험하기 위해 의식이 바뀐 상태를 반겼던 어느 유명한 뉴에이지 운동과 연관된 용어였다. 합리주의자들은 이 운동의 '유사 과학' 자체가 징후적 질병이라고 공격했다. 아동 학대에 관한 인식을 고취하려는 페미니즘 계열 운동 세력들이 반격에 가세했다. 일부 심리 치료사들은 환자들을 위한 활동가로 나서 회의론자들이 아동 학대범들을 지지하는 그룹이 되었다고 비난했다.

그러자 훨씬 더 극단적인 궤도들이 나타났다. 갈수록 기괴한 사건들이 소환되고 비난은 이상하게 비틀어지더니 급기야 고도로 각색된 서사로 변모하여, 악마 숭배 의식을 치르기 위해 아동을 학대했다는 주장이 되었다. 그 운동의 급진적인 분파는 해리성 장애를 앓는 환자들이 어렸을 때 그 부모들이 이끄는, 이른바 아기를 제물로 바치는 악마 숭배 종교 의식에서 학대를 받았다고 믿기에 이르렀다. 경찰과 사회복지사들이 악마 숭배 학대로 의심되는 요인들과 현장을 공들여 집계하고 지도를 그렸고, 그 자료들이 수백 건의 소송에서 판단 도구와 증거 기준으로 활용됐다. 한편 그 주장에 반대하는 사람들은 심리 치료 관행 자체가 최면과 암시를 포함하는 종교 집단의 입회 절차와 아주 흡사하다고 주장했다.

이런 궤도들과 변형들은 우리가 쉽게 기원을 추적할 수 있는 고정된 사회 구조가 아니라 전염과 설득과 사회적 관계 쌓기의 형태를 취한다.

플래시 몹

플래시 몹은 특정한 리더 없이 휴대폰과 이메일, 인터넷으로 조직되는 모임이다. 그렇게 모인 사람들은 대개 뭔가 실없는 행동을 하는데, 그 행동의 목적은 그냥 부유하는 관계가 순식간에 실체가 될 수 있다는 사실을 입증하는 것이다.

어느 대형 장난감 매장에서는 플래시 몹을 위해 모인 사람들이 기계 장치로 움직이는 티라노사우루스 렉스를 쳐다보다가 일시에 비명을 지르며 바닥에 쓰러져 버둥대다가 재빨리 일어나서 순직간에 흩어졌다. 뉴욕에서는 플래시 몹 주최자들이 그랜드센트럴역 식당가에 모인 참가자들에게(손에 든 『뉴욕리뷰오브북스』 신문으로 식별할 수 있었다) 다음에 할 일이 적힌 인쇄물을 나눠주었다. 오후 일곱시가 좀 지나 그랜드센트럴역 옆에 있는 그랜드하얏트 호텔의 중이층中二層에 갑자기 200여 명에 달하는 사람들이 모이더니 15초간 요란하게 박수를 치고 자리를 떴다.

하워드 딘이 대통령 후보 경선에 나갔을 때는 시사 연재만화 「둔즈베리」가 하워드 딘을 지지하는 플래시 몹을 제안했다. 시간: 9월 13일(토) 오전 10시 35분. 장소: 시애틀

스페이스 니들 앞. 지침: 서로 손을 잡고 거대한 원을 만든다, 팔짝팔짝 뛰면서 "전문가가 왔다!"를 외친다, 해산한다. 하워드 딘의 선거 운동 웹 사이트인 '겟 로컬'은 재빨리 이 제안을 채택해 선거 운동 방법의 하나로 게시했다.

또 다른 플래시 몹은 구식 컴퓨터들을 한곳에 모아 서로 연결한 다음 주요한 과학 문제를 풀도록 함으로써 세상에서 가장 빠르고 비싼 컴퓨터들과 경쟁하는 일시적인 슈퍼컴퓨터를 만들려 했다. 성공하지는 못했지만, 거의 성공할 뻔했다.

폭발

일은 순식간에 생겨난다. 작은 세계들, 나쁜 충동들, 모종의 활기로 살아 있는 사건들.
갑작스러운 폭발은 무언가를 분명하게 드러내는 점대•라도 되는 양, 모든 이치를 떠나 매혹적이다. 하지만 무엇일까?

• 점을 칠 때 쓰는 가늘게 쪼갠 댓가지로 점괘의 글이 적혀 있다.

충격의 현장들

충격의 현장들은 감각을 사로잡는다. 화염에 휩싸인 로스앤젤레스, 접근 금지 테이프로 감긴 트레일러하우스, 아직 연기가 피어오르는 건물 앞에 놓인 추모 리본과 봉제 인형들. 너무 익숙해진 줄거리라 당장 목록이라도 만들 수 있을 듯하다. 불만을 품고 미쳐 날뛰는 노동자들, 애인과 헤어지고 공공장소에서 총을 난사하는 남자들과 아이들, 뒷마당에 줄줄이 시체를 묻어 놓은 연쇄 살인마로 밝혀진, 자기 세계에 갇힌 단정한 남자들, 경찰들에게 구타당하고 강간당하고 살해당한 흑인들, 아무 표식 없는 헬리콥터의 출현에 격분하고 자유가 사라진 현실의 악취에 격분한 자생적 무장 민병대들, 말 그대로 우편물 폭탄이거나 아니면 탄저균이 섞인 하얀 가루나 갈색 모래 같은 물질이 동봉된, 우편으로 오는 메시지들.

이런 장면들은 내세를 누린다. 도무지 끊을 수가 없을 듯하다. 충격적인 사건의 시시콜콜한 내용을 찾아보는 일은 십자말풀이만큼이나 흥미롭다. 일단 시작하면 끝을 보고 빠져나올 때까지 계속해야 한다. 어느 날 O. J. 심슨이 모는 흰색 포드 브롱코가 로스앤젤레스 고속도로를 질주하는 놀라운 장면이 벌어지고, 미처 알아차리기도 전에 우리는 장갑과 혈흔과 짖는 개와 수사관의 인종주의적 발언들과 판결과 그 판결에 대한 반응들에 둘러싸인다. 그 뒤, 플로리다에서 골프를 치는 O. J. 심슨이 목격되고, 흰색 포드 브롱코의 판매량이 치솟는다. 우리는 클린턴-르윈스키 스캔들이 연쇄적인 페티시를 통해 확대되는 양상을 놀란 눈으로 지켜본다. 얼룩 묻은 옷, 끈 팬티, 녹음테이프, 넥타이, 담배. 시시콜콜한 것들이 상상력에 불을 붙이고, 자극적인 상상이 꼬리에 꼬리를 물고 피어오른다.

대중의 관심을 받는 장면들은 으레 공식 뉴스의 울타리를 넘어 괴이한 소문으로 돌아다닌다. 앤드루 커내넌•이 총격 살인에 나선다. 며칠간 그의 연애사와 친구 관계, 살인 행각에 대한 단서들이 띄엄띄엄 돌더니, 도주 중인 그 남자를 실제로 목격했다는 증언들이 나오면서 갑자기 소문이 제멋대로 증식하기 시작한다. 레바논에서, 뉴햄프셔에서, 플로리다주 번호판을 단 회색 메르세데스 벤츠를 타고 주머니에 돈을 잔뜩 쑤셔 넣은 그가 목격된다. 패션계의

• 앤드루 필립 커내넌(1969~1997)은 미국의 연쇄 살인범으로, 1997년 4월 27일부터 총기로 자살한 7월 23일 사이에 이탈리아의 유명 디자이너인 잔니 베르사체를 포함한 다섯 명을 살해했다. 커내넌이 부유한 늙은 동성애자들의 접대부였다는 소문이 돌았으나, 연쇄 살인의 이유는 정확히 밝혀지지 않았다.

제왕을 죽인 그 남자는 일부러 틈새를 벌려놓은 특수 의상이라도 입었는지 돈을 줄줄 흘리고 다닌다. 하지만 이런 목격담은 죄다 그저 헛것을 봤다든가 하는 소동으로 밝혀진다. 정확하게 무엇을 본 것인지 판명하려는 실질적인 노력은 없었다.

뭐가 됐든

가끔 오가는 농담이 있다. 특정 감각을 느끼는 뇌 부위에 직접 단추를 연결해 놓으면 굳이 콘텐츠를 거칠 필요 없이 단추만 누르면 그 감각을 느낄 수 있지 않냐는.

9.11 사태 직후의 어느 날, 여자는 동네 친구가 보낸 전자우편을 받는다. 작업실 창문으로 엿본 장면이나 졸린 오후에 산책을 하다 떠오른 괴상한 상상 따위를 즐겨 늘어놓는 친구였다.

친구가 보낸 내용은 이렇다.

> 커피 마실 때 꺼내놓으면 배를 잡고 웃을 만한 좋은 이야기가 있어. 내 친구 하나가 세인트루크루스벨트 병원에서 일하는데, 그 건물에 심리·정신의학과 의원이 몇 개 있어. 물론, 돈이 많은 동네는 아니라서 건물이 아주 싸구려인 데다 임대 사무실 분위기라 탄저균 테러를 받을 만한 데는 아니야. 그냥 그렇다고 해두자고. 내 친구는 약물 남용 문제가 있는 엄마들을 치료하고, 아래층 사무실에서는 비행 청소년류의 아이들을 진료해.
>
> 그러니까, 몇 주 전에 아래층 사무실에서 일하는 여자가

더워서 에어컨(창문 부착형)을 틀었다가 하얀 먼지를 뒤집어썼지 뭐야? 으악! 질병통제센터에 신고를 하자마자 하얀 방호복에 방독면을 쓴 사람들이 들이닥쳤지. 위층에서 일하던 내 친구는 그 상황이 좀 미심쩍었어. 그 사무실 사람들도 다들 같은 생각이어서 아래층에 비상선이 쳐지고 조사가 진행되는 동안에도 그냥 남아서 일을 했어. 아래층에서는 서둘러 그 하얀 물질을 실험실로 이송하고 사무실에 있던 모두에게 항생제를 투여했지.

그러고 검사 결과가 나왔어. 어떻게 됐게? 그 물질이 코카인 양성 반응을 보인 거 있지! 끝내주지 않아? 사람들은 비행 청소년들 중 하나가 몸수색을 당할까 봐서 에어컨 안에 그걸 숨겼다고 생각하고 있어. 아무튼 코카인을 일터에 퍼붓다니, 정말 훌륭한 발상이야. 카페인 따위는 이제 필요 없지. 곧바로 생산성 고취의 다음 단계로 넘어가는 거니까. 어때?

몰려가기

우리는 어딘가에 에너지의 기미만 보여도 쫓으려 든다. 비록 잠깐이라 할지라도.
어떤 일이 생기면 우리는 거기로 몰려가 쳐다보거나 냄새 맡거나 그 힘을 흡수하거나 세세한 내용을 죄 알아보거나 놀리거나 숨거나 발설하거나 그것에 대한 취향을 발달시킨다. 우리는 대세에 동참하려는 충동에 관해 투덜거린다. 그 흡인력을 부정한다. 우리는 난개발과 텔레비전과 우리 자신의 문제를 얘기할 때 그것을 탓한다. 하지만 한편으로는 그것을 욕망하는데, 그것의 치료법은 다른 것을 향해 몰려가기다. 이번에는 구원의 팻말 밑으로 몰려간다. 정의를 위한 시위, 마을방범위원회, '집단으로서의 우리'가 깨어 있도록 해주는 모종의 방안. 해야 할 일.

비천한 남자

여자는 라스베이거스 넬리스 공군 기지 부근의 트레일러하우스 주차장에 살고 있다. 여자의 집이 벌건 대낮에 털린다. 누군가 벽돌을 던져 창을 깨고, 구석구석을 뒤지고, 아무짝에도 못 쓸 낡은 오디오를 훔치고, 거실 벽에 커다란 가위로 쪽지를 꽂아놓는다. 쪽지에는 간단하게 이렇게 적혀 있다. '아싸!' 여자가 경찰에 신고한다. 경찰은 "애들이에요"라고 말하고는 방마다 돌아다니며 서랍 밖으로 내팽개쳐진 온갖 물건들과 들고 가려고 전선을 뽑아놓은 컴퓨터를 살핀다. 여자는 벽에 붙은 쪽지를 경찰들에게 보여준다. 그걸 본 경찰들의 시선이 벽에 붙은 낡은 흑백 인물사진 열 몇 장을 훑는다. "저것들도 놈들이 붙여놓은 겁니까?" "아니요, 제가 붙인 거예요." 경찰들이 여자를 쳐다본다.

여자가 부서진 창문을 고치려고 수리 기사에게 연락한다. 다음 날 아침에나 합판을 구할 수 있다기에 여자는 컴퓨터를 들고 수리 기사의 트레일러하우스로 간다. 그의 거실에는 아무것도 없다. 지난주에 집에 돌아와보니 여자 친구가 이렇게 짐을 싹 챙겨서 떠났더라고 그가 말한다. 여자 친구의 자식들인 세 아이도 데리고 갔다. 그리고 그가 평생에 딱 한 번 받은 경품, 푸른 벨벳으로 감싼 5인용 거실 소파 세트도 가져갔다. 그는 마당에 아이들이 놀 놀이 기구들을 만들어 놓았다. 작은 플라스틱 풀장을 가로지르는 나무다리, 트레일러에 기대 나란히 세워놓은, 곰 세 마리의 의자 같은 투박한 수공 의자들, 스티커가 잔뜩 붙은 무슨 기계 같은 놀이 기구. 그는 연못에 넣을 금붕어를 구하려고 계획하던 참이었다. 요즘 그의 전 여자 친구는 한밤중에 전화를 걸어 새 남자 친구와의 섹스가 얼마나 황홀한지 떠들어댄다. 한번은 그들의 집에 가서 둘이 서서 지켜보는 가운데 변기를 수리하기도 했단다.

그가 대뜸 자기도 혼자고 여자도 혼자니 결혼하자고 한다. 둘이 서로를 도울 수 있으니까. 여자는 고맙지만 괜찮다고 거절한다. 다음 날 세 골목 떨어진 소형 트레일러하우스로 이사하는 여자를 그가 와서 돕는다. 그가 돈을 받지 않으려 하자 여자는 저녁이라도 대접하려고 함께 나간다. 그는 어떤 여자의 사무실 이사를 돕고 일당 대신으로 받은 식당 쿠폰을 쓰고 싶다고 한다. 하지만 거기가 어디인지 몰라서 여자가 쿠폰을 보고 상호와 주소를 알아낸다. '딘의 길가 카페'. 여자가 상점이 줄줄이 늘어선 길을 차로 돈다. 남자에게 식당이 보이느냐고 묻는다. "첫 글자가 뭐예요?" 여자가 남자를 쳐다보고 대답한다. "D요." 몇 분이 지난다. 여자가 식당이 보이느냐고 다시 묻는다. 그는 그제야 'D'가 어떻게 생겼는지 모른다고 인정한다. 여자가 스포츠 바인 그곳을 찾고, 둘은 샌드위치를 주문한다. 긴장한 그가 종업원에게 쿠폰을 내밀고는 누가 자기한테 주더라고 설명한다. 종업원이 얼굴을 찡그린 채 그 작은 종잇조각을 쳐다본다. "이게 뭐예요?" "그 여자 말로는 음식 하나를 공짜로 주문할 수 있는 쿠폰이라고 했어요." "안 돼요. 이거 여기서는 못 써요. 다 지워졌어요." 종업원이 남자를 무슨 범죄자 보듯이 쳐다본다.

돌아오는 길에는 어느 카지노에 들러야 했다. 그가 대리주차 서비스를 이용하자고 고집한다. 그러고는 안으로 뛰어 들어가 20달러짜리 지폐를 동전으로 바꾸더니 1분도 채 안 돼 슬롯머신에서 몽땅 잃는다. 코를 풀거나 화장실에 가듯이 아주 몸에 밴 남자의 행동에 여자는 어이가 없다. 둘은 즉시 거기를 떠난다. 그는 돈을 20달러 넘게 가지고 다닌 적이 없다고 말한다.

며칠 후에 그가 심야 버스를 타고 휴스턴으로 떠난다. 여자에게 버스 정거장이 어디에 있는지, 어떻게 거기로 갈 수 있는지 아느냐고 물었었다. 그러고는 그냥 사라진다. 그는 아무에게도 작별 인사를 하지 않는다. 자기 상사가

화를 내며 못 가게 할까 봐 상사에게도 떠난다는 사실을 알리지 않는다. 여자는 그 상사가 여태 그에게 식비와 트레일러 집세를 대기에도 간당간당한 임금을 지급해왔다는 사실을 알게 된다. 이제 그는 떠났다, 새 삶을 찾아서. 휴스턴에는 전에 사귀던 여자가 있다. 그 여자는 지금 다른 남자와 결혼했으니 상관이 없지만, 그녀의 딸이 어릴 때 그에게 반한 적이 있었다. 그 애가 지금 자동차 사고로 하반신 마비 상태다. 그는 자기가 가서 돌보다가 그 애의 남자가 됐으면 한다. 그게 계획이다. 그는 버스표를 살 100달러를 구하기 위해 팔 수 있는 모든 것을 판다. 그러고는 어찌어찌 혼자 그 버스 정거장으로 가서 슬며시 자취를 감춘다. 여자는 그 뒤로 그의 소식을 전혀 듣지 못한다.

트레일러 주차장 관리인이 공동체 회의를 소집한다. 그가 더 이상의 침입 사건은 없다고 단언한다. 여자가 최근에 자기 집이 당했다고 지적한다. 간이 건물 뒷벽에 기대선, 엄격한 표정의 건장한 공군 사내들이 자세를 바꾼다. '그게 마지막이다. 우리가 근절한다' 같은 말을 중얼거린다. 여자가 그들 중 한 명과 눈을 마주치지만, 그 굳은 표정에서는 아무것도 읽을 수 없다.

그런 뒤로 밤이면 선명한 빛깔의 최신형 대형 지프가 전조등을 끈 채 거리를 내내 돌아다니는 것이 사람들 눈에 띈다. 어느 밤, 그 차가 천천히 지나가는 소리에 잠이 깬 여자는 밖을 내다봤다가 반자동 소총과 스포트라이트를 든 서너 명의 검은 형체가 지프 양쪽에 매달려 있는 것을 본다. 뭔가 부유하던 '공동체'와 '행동'의 이미지들이 갑자기 적나라하게 모습을 드러낸 것 같다. 지나치게 곧이곧대로 받아들인 데다 리얼리티 TV 경찰 프로그램 같은 데서 본 이미지들도 뒤섞인 채 표류하던 '공동체' 자체가 어떤 선을 넘어 추락하는 상태로 접어들자, 이상한 공동체 회의와 밤마다 소리 없이 돌아다니는 무장 지프라는 초현실적인 장면들로 일상을 조작하는 것 같다.

여자를 포함한 몇 사람이 별도의 긴급 회의를 요청하여, 그러다 애먼 사람 잡겠으니 그 남자들을 막아야 한다고 주장한다.

군인들은 지시받은 대로 따른다.

명쾌함

밤마다 뉴스가 끝없이 이어지는 사고 소식을 전한다. 정신적 압박을 받다가 폭발하거나 빗나간 탄환에 맞거나 허리케인에 휘말려 희생된 사람들의 소식을. 어느 날, 한 정신회복 운동 지도자가 현대인의 5대 스트레스 요인 중 하나로 뉴스를 꼽으며 그냥 뉴스를 보지 말라고 권한다. 그러고는 아주 잠깐 흐름이 멈춘다. 명쾌한 사고의 고요한 한 순간을 낳기 위해 공장에서 곧장 우리 접시로 튀어 온 포춘 쿠키처럼 이것도 종국에는 우리에게 영향을 줄 소소한 충고인지 어떤지 가늠하느라 다들 잠시 멈추기라도 하듯이.

어쩌면, 너무 명쾌할지도.

우리는 컬럼바인 고교 총기 난사 사건과 그 파생 사건들에서 교훈을 찾는다. 아니면 부적절한 양육(너무 과한 양육? 너무 부족한 양육? 어떤 양육?) 같은 명확한 원인을. 아니면 우리 '사회'의 무언가에서 시작된, 갑자기 눈에 띄기 시작한 어떤 모방 현상을. 나쁜 일이 왜 일어났는지 재빨리 아는 것이 우리가 세상을 신경 쓰고 있다는, 또는 알아차리고 있다는 징표라도 되는 듯하다. 기껏해야 지나고 나서 돌아보는 정도라고 해도 말이다.

하지만 그 아이들은, 또는 그 아이들이 남긴 기록은 저마다 복잡한 궤적의 이야기를 들려준다. 그들은 '거대한' 시나리오의 세세한 부분에 강박적으로 집중하고, 그들은 갇힌 삶에서 탈출하려고 몸부림치고, 그들은 위험할 정도로 우울하고, 그들에게는 오로지 자기 패거리와 그들만의 계획밖에 없다. 이런 이야기들은 도덕적인 결말로 끝나지 않고 남아서 일상에서 격렬한 감정을 발생시키는 다른 모든 방식과 공명한다. 그러고도 해소되지 않은 채 남아, 기억이 희미해지거나 뭔가 새로운 폭발이 세간의 이목을 끌 때까지 우리 주위를 맴돈다.

폭발하는 사건들이 워낙 강렬하다 보니 사람들은 좀 더 평범한 일상의 골칫거리들로 주의를 돌리게 된다. 아니면 일상의 일들과 멀어지게 된다. 아니면 둘 다다. 기묘한 사람들에 관한 뉴스가 마치 여태 제대로 인식되지 못한 사회적 약점들이 잘못된 사람들의 손아귀에서 조작되면 어떤 일이 일어날 수 있는지를 보여주는 듯하다. 사회적 약점들은 모종의 근본적인 광기로 변형된 채 폭력적인 결말로 떠밀린다. 그리고 우리에게는 이름을 붙이거나 예측할 수도 없고 어떻게 해야 할지 알 수도 없는, 눈에 보이는 연쇄 작용의 신호들이 남겨진다.

몸이 요동친다

몸은 홱 달리거나 미쳐 날뛰거나 축 늘어진다. 몸은 흐름을 따라가거나 저항에 부딪히거나 공격을 받거나 빠져나갈 수 없는 어떤 것에 사로잡힌다.

몸은 새로운 첨단 기기가 나타날 때마다 거기에 맞추기 위해 요동친다. 자기계발 시대의 빠르고 예리한 교정법들이 몸에 할 일을 준다. 하루에 아스피린 한 알씩 먹기(또는 먹지 않기), 하루에 적포도주 한 잔씩 마시기(또는 마시지 않기), 버터 또는 저지방 마가린 또는 카놀라유 섭취하기, 탄수화물 먹지 않기, 동맥에 낀 나쁜 콜레스테롤을 제거하기 위해 오트밀 먹기, 좋은 콜레스테롤을 보충하기 위해 알래스카 자연산 연어 먹기, 산화 방지제 또는 카바카바 또는 멜라토닌 복용하기.

이런 경향에 반하여, 홍수처럼 쏟아져 나오는 회고록들은 외로운 자아를 엄청난 소설적 희생 속으로 밀어 넣으며 '세상이 주는 충격'이라는 주제를 무대로 끌어낸다. 이런 복잡한 상황에 정신 회복 운동 단체들이 밀도를 더한다. 그들은 실용적인 자기 구원 처방전을 내놓는 동시에 자유로운 정신에 강박을 풀어넣는 널리 알려진 왜곡된 방식들을 적극적이고 노련하게 승인하며, 강박에서 완전히 해방되고자 하는 바로 그 충동 속에서 거듭 태어난다.[12]

마약 끊기

베니는 1년 반 동안 마약을 하지 않았다. 그가 어느 광신적인 오순절파 교회에 다니기 시작한다. 그러다가 직접 '그리스도의 폭주족' 교회를 차려야겠다고 결심한다. 그 교회 교인들은 감옥에 간다, 수감자들을 만나러. 베니는 교인들과 헌츠빌•이나 그 비슷한 곳으로 대대적인 원정 여행을 가는 장면을 꿈꾼다. 그러니까, 150대쯤 되는 할리 데이비슨이 새장 같은 감방들 앞 복도를 달리는 것이다. 부릉부릉하는 엔진 소리가 들리는 것만 같다. 오토바이를 탄 근육질 몸들이 자기를 뒤따르는 장면이 눈에 선하다. 자신에게 쏟아지는 죄수들의 시선을 느껴질 정도다. 그들도 전율할 거라고 그는 말한다.

• 미국 텍사스주 헌츠빌시는 감옥 박물관과 미국에서 가장 많은 사형 집행이 이루어지는 헌츠빌 교도소가 있어 '사형 집행의 수도'라 불린다.

중독

여자의 오랜 친구인 조이스가 전화를 걸어, 자기 딸 릴리가 나쁜 중독에 빠지려는 걸 구했다며 섬뜩한 이야기를 전한다. 언제부턴가 릴리가 꿈속 세상에 있으면서 현실을 전혀 신경 쓰지 않는 것 같았다고 한다. 어느 날 밤 조이스는 유치장에 수감된 릴리를 보석으로 빼내려고 경찰서에 간다. 그런데 릴리가 여자 친구와 여자 친구의 아기를 두고 혼자 나오지 않겠다고 버티자 그제야 상황이 얼마나 나쁜지 알아챘다. 릴리는 세상에서 중요한 일은 그거 딱 하나뿐이라는 듯이 가서 아기가 쓸 기저귀를 가져오라고 엄마에게 요구한다.

릴리는 지금 집으로 돌아와 조이스와 함께 살면서 웬디스에 나가 일한다. 릴리는 마음을 잡고 싶다고, 여자 친구와 아기와 같이 살 집을 얻고 싶다고 말한다. 릴리의 면허가 취소되는 바람에 조이스는 딸을 산 너머 일터에 데려다주고 한밤중에 데리고 오느라 매일 꼬박 네 시간을 운전한다.

밤에는 특히 운전하기가 나쁜데, 조이스는 이번 주에만 두 번이나 같은 트럭과 승용차의 추격을 받았다. 처음에는 두 차가 총을 쏘았는데, 조이스로서는 자기한테 총을 쏘는지 아니면 서로를 향해 쏘는지, 그도 아니면 도로 표지판에다 쏘는지 알 도리가 없었다. 그들은 그러다 그녀를 지나쳐 사라졌다. 두 번째는 안개를 벗어나 보니 두 차가 바짝 뒤를 쫓고 있었다. 잠시 후에 두 차는 그냥 전조등을 끄고 사라졌다.

하루는 조이스가 중독 치료 프로그램을 광고하는 어느 병원에 전화를 걸었다. 하루 진료비가 400달러라고 했다. 조이스가 말했다. "당신들 제정신이에요?" 조이스가 말한다. "도움이 필요할 때 도움을 받을 수 있다는 저 광고들은 틀렸어. 부자들은 자기 아이들을 도울 수 있겠지만 가난한 사람들은 아니야. 지금 나는 담배를 끊을 수만 있다면 읍내로 가는 사차선 도로에 발가벗고 서 있을 수도 있어. 하지만 너도 아이가 있어봐, 정신이랑은 그냥 작별 인사를 하는 수밖에 없어."

자기 완결

'자아'나 '공동체'나 어떤 '의미'의 완결은 무언가를 희망하는 순간이나 뒤늦게 돌아보는 순간에 일어나는 꿈같은 일이다. 하지만 그냥 이데올로기나 엉뚱한 생각보다는 사물이 구성되면서 생기는 실질적인 주름이나 결에 가깝다.

수많은 주제와 의미가 구성된다. 어떤 것은 다른 것보다 잘 작동한다. 어떤 것은 더 매끄럽고 보다 일관적이다. 어떤 것은 연장될 수 있다. 다른 것들은 어설프게 작동하고, 붕괴하고, 끊임없이 재고再考되어야 한다. 문제로 이어질 수도 있다. 그 차이는 종종 다뤄야 하는 물질이 무엇이냐에 따라 좌우된다.

하지만 이런 구성들조차 그 배경에 있는 세상의 모든 무게와 함께 여전히 살아 있다. 그것들은 여전히 충격을 주는 힘들의 타격을 받고 여전히 자신을 떨치고 나서기 위한 행보를 이어간다. 설사 그게 세상에서 제일 똑똑한 일은 아니라 할지라도 말이다. 아니면 그것들은 옴짝달싹 못 하게 되는데, 그게 세상에서 제일 똑똑한 일일 리는 없다. 우리는 이 모든 걸 안다고 생각하면서도 모든 가능성에 대비하여 마음을 놓지 못한다.

삶의 장면들

가끔 완성된 삶의 장면이 아름다운 형상처럼 지평선 위에 나타난다. 한동안 그건 공중에 걸린 스냅 사진과 같아서, 우리는 눈을 휘둥그레 뜨고 지켜본다. 하지만 어울리지 않는 어떤 사소한 것 하나가 그 모든 것이 심각하게 잘못됐다는 비밀을 폭로하는 신호가 될 수 있다. 아니면 완벽한 장면에 끼어든 우스꽝스럽고 변덕스러운 어떤 것 하나이거나. 우리는 일제히 그 놀라운 거품 같은 이미지에 이끌리고, 그것에 생명을 불어넣고 또 갈라놓는 모든 일상적 정동들에 이끌린다.

여자의 어머니가 운영하는 그림 강좌는 서로 마음을 터놓고 위안을 주고 받는 모임이 되었다. 어머니는 정말로 그런 모임이라고, 그게 다 흥미로운 사람들이 있어서라고 말한다. 그건 그들이 흥미로운 삶을 살고 있다는 뜻이고, 저마다의 문제를, 저마다 얘기할 것과 숨겨야 할 것이 있다는 뜻이라고.

메리는 늘 나무랄 데가 없는, 말수가 적은 조용한 사람이다. 그런데 어느 날 첫 번째 남편에 관한 말을 흘리고, 사람들은 온갖 사연을 캐낸다. 간단하게 말하자면, 그녀는 첫 번째 남편에게서 벗어날 수 있도록 도와준 남자와 결혼했다. 지금 둘은 아주 행복하며, 영원히 살기 위해 저지방 채식을 하고, 각종 약을 먹고, 온갖 치수를 재고 무게를 단다.

수의 첫 번째 남자는 구두쇠였다. 한 푼도 쓰지 않으려 했다. 그는 수와 결혼하던 날 자리에 눕더니 다시는 일어나지 않았다. 그러다 결국 그녀의 두 번째 결혼식이 있던 날 자살했다. 그녀는 앉을 생각이 없는 듯이 서서 빠른 속도로 말한다.

모임 사람들은 베티가 부잣집 딸일 거라 짐작한다. 베티는 정원 가꾸기 모임 같은 걸 할 사람처럼 보인다. 하지만 베티의 가족들은 딱히 그녀에게 잘 어울린다고 할 수 없는 사람들이고, 아들은 자동차 사고로 목숨을 잃었다. 그녀는 그림을 너무 빨리 그린다. 한 그림을 끝내고 다음 그림에 착수하는 게 마냥 좋다. 남편은 그녀가 계속 바쁘게 살 수 있도록 그녀에게 필요한 작은 상자와 액자를 만든다. 그녀는 점잖게 말하지만 가끔 욕을 한다. "그 개자식."

캐럴의 남편은 스트레스를 견딜 수 없어서 일을 그만두었다. 그 뒤로 종일 집 주변을 어슬렁거렸다. 그러다 그는 스트레스가 대부분 아내 때문이라고 결론을 내렸다. 그는 집 안팎으로 그녀를 따라다니며 자신에게 스트레스를 주는 그녀의 행동을 작은 가죽 공책에 낱낱이 적기 시작했다.

도나의 남편은 아내와 네 아이를 버리고 젊은 여자를 쫓아갔다. 도나는 마침내 다른 남자를 찾았지만, 그가 도나에게 너어어어무 아름답다고 했기에, 그리고 자기 삶이 그녀 덕분에 바뀔 거라고 했기에 모임 사람들은 (눈알을 굴리며) 그를 미심쩍게 여긴다. 도나가 그가 준 반지를 받고, 그가 그녀의 집으로 이사한 직후, 그는 일을 그만두었다. 그러더니 그녀의 전 남편 생각이 나는 게 싫으니 집을 팔고 다른 집을 사자고 조른다. 게다가 그는 술을 마시는 듯하다. 도나는 일일이 술잔을 센다. 하룻밤에 칵테일은 적어도 넉 잔은 마시는 것 같다.

여자의 어머니인 클레어는 잘 들어주는 사람이다. 자기 문제를 얘기하는 건 좋아하지 않는다. 그래서 수강생들은 그녀가 완벽한 삶을 산다고 여긴다. 그녀가 수강생 모두에게 니컬러스 스파크스의 연애 소설인 『노트북』을 주었을 때, 다들 클레어와 남편 사이가 그럴 것이라고 단정했다. 어느 날 수강생 한 사람이 뭔가 대담한 행동을 한 어떤 여자 이야기를 하면서 말했다. "음, 나 같으면 그런 짓은 절대 안 하겠지만, 클레어라면 할 게 분명해."

전깃줄

마치 전류가 흐르는 전깃줄처럼, 주체는 자신을 구성하는 과정에서 주변의 일들을 전달한다. 격렬한 감정들과 표면, 감각, 지각, 표현 들이 응고하여 형성된 이것은 우연한 마주침과 공간과 사건 들로 구성된다. 그리고 그것은 그 우연한 마주침과 공간과 사건 들을 가로지르거나 그곳들에 존재한다.

일들이 일어난다. 주체는 반응하고자 움직이며, 종종 딱히 가고자 의도하지 않았던 어떤 곳으로 자신을 이끈다.

안녕, 귀염둥이

시카고에 사는 앤드루가 유쾌한 전자 우편을 보냈다. 그는 한때 여자의 집과 같은 거리에 있는 아주 작은 집에서 살았다. 그때 앤드루는 자주 여자의 집에 들러 길가에 수북이 떨어진 도토리라든가 직접 만든 인형이나 그림 얘기를, 아니면 진짜로든 상상으로든 만들거나 주운 다른 물건들 얘기를 했다. 지금은 주로 전자 우편을 보내고 가끔 전화를 하는 정도다.

> 이번 주에 마이크가 왔는데, 걔랑 있으면 정말 재미있어. 그러다 가고 나니 좀 우울하네. 아, 뭐, 멋진 한 주였고, 둘이서 온갖 웃기는 짓들을 했지. 어제는 차를 몰고 위스콘신에 갔는데, 사과를 사러 간 건 아니야. 그럴 요량이기는 했지만, 가서 보니까, 그보다는 커노샤와 러신•을 기웃거리려고 그랬던 거지. 정말이지 깜찍하고 귀엽고 작은 커노샤에서 '야드 세일' 표지판을 본 거 있지……. 아, 내가 그

• 커노샤와 러신은 위스콘신주의 도시와 카운티로, 미시건 호수에 면한 풍광이 아름답다.

걸 보고 얼마나 군침을 흘렸을지 상상이 가? 위스콘신주 스니크래글에서 야드 세일이라고?! 가보자!

그래서 거길 갔지. 교외 주택들이 늘어선 평범한 길 끝 쪽에 있는 집이었어. 갈수록 길이 좁아지고 집들도 작아지다가 더 가니까 자갈길이 나오고 오스틴에 있는 내 집의 절반이나 될까 싶은 집들이 있더라! 정말로! 거기엔 미니어처 같은 사람들이 사나 봐. 집들 사이에는 온갖 나무와 관목이 자라고, 잔디는 '어느 특정 지점까지만' 손질되어 있고 나머지는 그냥 풀밭이야. 세일 표지판이 붙은 차고는 지면보다 15센티미터쯤 낮은데, 엄청나게 많은 물건이 꽉 차 있는 데다 정말 예쁘게 진열돼 있었어. 그리고 모든 게 반값이야. 나는 한 뭉치로 묶어서 '8개에 1.48달러'라고 가격표가 붙은 오래된 녹슨 나이프와 포크 세트를 고르고, 마이크는 하렘에 들어간 알리바바한테서 영감을 받은 듯한 진홍색 비단 베개 두 개를 골랐어. 손뜨개 카네이션들도 그냥 지나칠 수가 없었는데, 딱 창문 가리개 줄로 쓰라고 만든 것 같아! 못 사거나 안 산 다른 굉장한 물건들이 너무 많지만, 그야말로 사랑스러운 꿈이었어. 그리고 그 판매자들! 마이크와 나는 그들과 어울려 살 수 있다면 당장 짐 싸서 이사라도 할 판이야. 다들 굉장히 위스콘신적이야. '오', '아', '와' 같은 감탄사를 많이 쓰지. 베티 화이트[•] 물건들도 방을 가득 채울 수 있을 만큼 많아! 다들 우리가 반값 계산하는 걸 도와주려 안달이야. "오, 이런, 이건 어렵네요! 1달러 48센트! 아 이런, 그럼 저건 얼마가 되지? 와, 음, 이것 좀 봐요, 25센트의 반, 12센트로 합시다, 오케이?" 계속 이런 식이야. 다들 일흔이 넘었고, 시카고 불스 야구 파카를 입고 있어. 정말 귀여워 죽을 지경이라니까. 그런 날이야. 사과는 없어도, 노랑과 갈색과 빨강 나무들이 많아. 그냥 평온하게 차를 타고 그 속을 지나는 거지.

그때 앤드루가 보낸 전자 우편이 또 한 통 도착한다. 차를 타고 버지니아주를 가로지른 얘기다. 어느 신호등 앞에서 차를 멈춘다. 검은 옷에 옷핀, 알록달록한 머리, 여기저기 피어싱을 한 불량배 무리가 줄줄이 길을 건넌다. 앤드루가 즐거운 시선으로 그들을 보고 있는데, 그중 한 여자가 뭐라고 소리를 지르며 둘을 가리킨다. 앤드루는 어리둥절한 채 그 여자의 입을 뚫어지게 쳐다본다. 뭐라는 거지? "저 빌어먹을 호모 새끼들 좀 봐! 빌어먹을 호모 새끼들아! 엿

• 베티 화이트(1922~)는 미국의 배우이자 코미디언으로, 80여 년에 이르는 최장 TV 출연 기록을 보유하고 있다.

이나 먹어!"

차 안에 서글픈 침묵이 흐른다.

"하지만 마이크, 저들이 어떻게 알았을까?"

"이봐…… 남자 둘이 한 차에 타고 있잖아……. 누가 봐도 즐거운 얼굴로…… 스웨터를 입고 말이야……."

"아."

마주침

마주침은 어디서나 일어날 수 있다. 그리고 그저 슬프고 무서운 마주침만 있는 것도 아니다.

어느 날 편의점에서 앞에 줄을 서 있던 여성이 돌아서더니 여자를 빤히 쳐다보며 빙긋이 웃는다. 햇볕에 탄 젊은 얼굴에 뭔가 알겠다는 표정이 역력하다. 눈은 기뻐서 어쩔 줄을 모른다.

여자는 그 젊은 여성에게 미소로 화답한다. 그러고는, 오랫동안 서로 쳐다만 보다가 여자가 입을 연다. "저를 안다고 생각하시는군요." 젊은 여성이 아주 살짝 고개를 끄덕이더니 기쁨의 한숨을 내쉰다. "음, 전 이 근처에 살아요. 아마 오가다 만났을 거예요(이래저래요)." 젊은 여성이 눈에 띄지 않게 어깨를 으쓱하더니 천천히 손가락 하나를 입술에 가져다 댄다. 마치 '쉿(아가야, 울지 마)'이라고 말하듯이. 그녀가 다시 한숨을 쉰다. 눈이 반짝거린다.

여자가 젊은 여성을 지나쳐 계산원에게 돈을 내민다. "그럼, 그렇군요. 잘 가요." 차를 몰고 주차장을 나서던 여자는 그 여성이 밖으로 나와 자전거를 타는 걸 본다.

여자는 그날 밤 집에서 그 이야기를 하고, 그 젊은 여성이 분명 뭔가에, LSD나 엑스터시나 아니면 '어떤 것'에 '취했다'는 결론이 나온다.

아. 그래. 그럴 것 같았어.

하지만 그 웃는 모습이 여자의 뇌리에 하루 이틀 더 머문다.

'보기'라는 노동이 재정비되고 개량된 덕분에 우리는 거실 텔레비전에서 튀어나오는 이미지들과 밖에 있는 모종의 진짜 세계 사이를 오갈 수 있게 되었다.

텔레비전 프로그램 「미국의 지명 수배자」는 우리가 편의점에 갔을 때 사람들의 얼굴을 보고 비교할 수 있도록 은행 강도들의 얼굴을, 그것도 수염이 있는 모습과 없는 모습을 전부 방송한다. 시민들은 이제 감시 기술의 작동법을 모방하면서 육체적 충동 수준에서 자체 훈련을 실시한다. 물론 거부 반응도 있다. 여러 모순과 주저와 회피도 있다. 훈련의 신호 아래 모인 행위들에는 사실 복잡한 데다 계속해서 변하는 끌림과 방심, 즐거움과 슬픔, 안정감과 갈망으로 뻗는 촉수들이 있다. 편의점에서 '사람들 얼굴 보기' 같은 건성으로 하는 사소한 놀이는 지겨운 타자화나 타인을 법의 지배 아래 굴복시키려는 비열한 의지의 문제만이 아니다. 알아맞히기 놀이 자체의 단순한 유혹도 있다. 또는 어떤 것이 틀에 딱 맞아떨어져 더 진짜가 되는, 아니면 적어도 더 특별해지는 순간의 매혹도 있다. 성공과 실패, 급증하는 행동, 어디론가 이끄는 엉뚱한 궤도들, 이런 갖가지 과잉들이 특별한 관심을 끈다.

'보기'의 사회성이 있다. 편의점에는 공격적으로 무심한, 이도 저도 아닌, 반쯤은 은밀하고 반쯤은 지루한 알아채기가 있다. 계산대 앞에 줄이 있더라도 느슨하다. 사람들은 기다리며 이리저리 돌아다닌다. 복권과 담배와 즉석 식품과 맥주를 사는 이들이 있다. 이른 아침부터 초대용량 싸구려 맥주를 사는 이들이 있다. 하루에도 그 '바가지 가게'에 두세 번씩 들러 버릇하는 이들이 있다. 그저 집 밖으로 나오기 위해, 무언가 구매하는 과제를 처리하기 위해, 짧고 가벼운 대화를 나누기 위해 하루에 한 번씩 습관적으로 편의점에 들르는 이들이 있다. 어쩌다 생각나면 들러서 1리터짜리 우유나 신문을 사는 이들도 있다. 그게 편한 데다 삶을 건사하느라 바빠서다.

갖가지 다름이 저절로 제 모습을 드러낸다. 짜증, 때로는 재미, 또는 다른 누군가 하고 있는 어떤 것에 대한 무심하고 무정한 관심의 결여가 있다. 그리고 때로는 잠깐의, 획하고 나타났다 사라지는, 그날의 좋았던 순간으로 기억될 수 있는, 또는 무시될 수 있는, 어정쩡한 몸짓으로 나타나는, 친절의 신호들이 있다.

이상적인 호텔

여자와 아기가 밤에 애틀랜타에서 발이 묶인다. 공항을 나서니 공중전화가 줄지어 서 있고 주차장에는 호텔 셔틀버스들이 꽉 차 있다. 춥고 흐린 날이다. 여자가 닥치는 대로 묵을 만한 빈방을 수소문하자, 어느 친절한 셔틀버스 기사가 '아메리스위트'에 방을 잡아준다. 거기가 시내에서 가장 좋은 호텔이면서 비싸지도 않다고 한다. 그 길로 조금만 가면 된다.

그곳은 이상하게 친절하고 푸근하다. 직원들은 아주 평온하고, 안내대 옆에는 흔히 먹는 냉동식품과 아이스크림, 과일을 채운 냉동고와 냉장 진열대들이 있다. 스위트룸은 엄청나게 넓은 데다 설비가 완전히 갖춰진 주방이 딸려 있다. 한 남자가 재빨리 유아용 침대를 가져와 설치하고는 침대보와 아기용 담요까지 챙겨준다.(다른 호텔에서는 절대 이런 일이 없다.)

둘은 로비로 내려가 주위를 둘러본다. 간이주점이 열려서 여기저기 사람들이 앉아 피자를 먹으며 허물없이 옆 탁자 사람들과 이야기를 나눈다. 여자가 맥주를 주문하고 5달러짜리 지폐를 꺼낸다. 바텐더가 "그건 뭐 하시려고요? 여긴 공짜예요. 피자도 좀 드세요"라고 말한다. 아침이 되자 간이주점이 있던 곳에는 제대로 갖춘 뷔페가 차려져 있고 잠이 덜 깬 사람들이 가득 모여 앉아 친밀한 분위기에서 함께 아침을 먹는다.

호텔 소유자와 직원들은 아프리카계 미국인들이며, 여자와 같은 낙오자 몇 명을 제외하면 그곳 사람 모두가 유색인종이다. 예상치 않았던 희망의 현장 같다. 뭔가 다른 일하는 방식. 느긋해지는 기분. 뭔가 배운다는 느낌. '이번만은' 모종의 감각 경보 시스템 역할을 담당한 쪽이 백인이 아니기 때문이다.

권력은 감각의 문제다

권력은 감각의 문제다. 권력은 능력으로서, 아니면 갈망으로서, 아니면 곪아가는 분노로서 산다. 권력은 한밤의 격분 때문에 타락할 수 있다.

권력은 고이 간직한 비밀로 또는 복도에서 힐끗 본 몸짓으로 시작될 수 있다.

권력은 유출되거나 혹은 훗날 참조할 요량으로 거둬질 수 있다.

권력은 교외 잔디밭에 마구 뒹구는 들꽃 씨앗처럼 퍼질 수 있다.

우리는 권력을 '가지고', 또 권력에 '대하여' 무언가 한다. 권력에 의문을 제기하거나, 권력을 염탐하거나, 파헤치거나, 요구하거나, 회피하거나, 권력에 알랑거리거나, 권력의 제단에 자신을 바치거나, 권력을 믿도록 어떤 것을 속이거나, 아니면 잠시만이라도 권력의 소용돌이에서 벗어나 휴식을 취하는 데에는, 분명 즐거움과 쓰린 속이 수반된다.

에이전트 오렌지•

옆집에 사는 젊은 여자가 예쁜 잔디를 심으려고 앞마당 나무 주변에 4리터짜리 제초제를 뿌리기 시작한다. 대니가 뛰쳐나가 그러다 나무들도 죽고 다른 것들도 다 엉망이 될 거라고 말한다. 그 제초제가 알고 보면 아무런 제재 없이 거래되는 에이전트 오렌지일 뿐이라고. 대니는 옆집 여자가 자기 말을 완전히 이해하리라 생각지 않는다고 말한다. 한두 해 뒤에 그 여자가 차 사고로 죽는다. 그 여자의 남편이 괴성을 지르며 집 안의 벽을 때려 부수고 있다. 남자들이 떼로 들어와 그 집에서 같이 살기 시작한다. 그들은 앞 베란다에서 맥주를 마시며 노닥거리면서 길을 지나는 여자들에게 야유를 퍼붓는다. 그러고는 어디서 강아지 몇 마리를 데려오더니 이내 방치한다. 그래서 강아지들은 뒷마당에서 종일 울부짖거나 탈출해서 돌아다니다 이웃의 고양이들을 물어 죽인다. 그 남자들이 서로 싸우기 시작한

• 에이전트 오렌지Agent Orange는 베트남 전쟁 중 미군이 살포한 고엽제의 암호명이다. 주로 몬산토와 다우 케미컬이 제조했다. 미군이 살포한 에이전트 오렌지 등의 고엽제와 제초제에 480만 명의 베트남인이 노출되었으며, 40만 명 이상이 숨지거나 장애를 얻었고 50만 명 이상의 아이들이 기형아로 태어났다고 베트남 외무부는 밝혔다.

다. 앞마당에 풀이 1미터 넘게 자라자 커다란 보트를 트레일러째 주차해놓는다. 어느 날 그들 중 한 명이 자기 트럭에 올라타더니 조금 떨어져진 곳에 주차된 다른 트럭들을 모조리 박아대기 시작한다. 결국 그들은 퇴거당한다. 집주인은 그들을 히피라 부른다.

근접

골목 저쪽에 성질머리 고약한 베트남전 참전 용사가 산다. 여자의 친구인 앤드루네 옆집이다. 그 집 주인 여자와 결혼하여 들어왔을 때 그는 40대였다. 그전에 어디서 살았는지는 아무도 모른다.

처음에 앤드루와 그는 서로 연장을 빌리고 잔디밭과 울타리에 관한 대화를 나누는 남자들만의 관계를 쌓으며 잘 지낸다. 그러다 어느 날 앤드루가 사롱•을 두른 채 우편물을 가지러 밖으로 나갔는데, 그 남자가 도끼눈을 뜨고 빤히 쳐다보면서 비웃는다. "멋진 '치마'요." 그 뒤로 그는 앤드루와 얘기는커녕 눈도 마주치려 하지 않는다.

가끔 여자가 집에 가는 길에 보면 그 남자가 앞마당에 나와서 지나가는 차를 향해 소리를 지르고 있다. 앤드루 얘기로는 누가 너무 빨리 지나가거나 하면 그가 벌컥 화를 내면서 족히 10분 정도는 목청이 터지도록 고래고래 욕을 한단다. 앤드루는 그런 사람은 본 적이 없다고 말한다. 그

• 사롱은 말레이시아와 인도, 스리랑카, 인도네시아 등지에서 남녀 구분 없이 허리에 둘러 입는 의복이다.

비슷한 사람조차도.

그 남자가 다락에 침입하는 너구리들에게 강박적으로 집착한다. 놈들을 잡아다 죽일 온갖 상세한 계획들을 논의하기 위해 다시 앤드루에게 말을 걸기 시작한다. 그러다 어느 날 앤드루가 집에 돌아와 보니, 그 남자가 폭탄이라도 맞은 듯한 표정으로 앞마당에 서 있다. "아! 안 좋아! 안 좋아!"라는 말만 하면서. 몇 달 동안이나 이런저런 너구리 침입 방지 조치를 취했는데 다시 다락에서 너구리 소리가 들리자 그는 그만 자제력을 잃었다. 산탄총을 가져와 거실 천장에 커다란 총알구멍들을 냈다. 아내가 새로 장만한 하얀 카펫에 피와 내장이 쏟아져 내렸다.

지금 그는 피를 뒤집어쓴 채 공황 상태로 앞마당에 서 있다.

작인作因•

작인은 이상하거나, 꼬였거나, 뭔가에 매이거나, 수동적이거나, 고갈될 수 있다. 우리가 즐겨 생각하는 방식은 아니다. 대개는 미래를 향한 단순한 투사가 아니다. 우리가 '자기 삶을 살다'라고 할 때("그래도 먹고살아야지"라고 할 때처럼) 의미하는 것이 작인이다. 하지만 작인은 사물에 매여 있다. 회로, 본체, 이동, 연결. 작인은 예측할 수 없는, 직관에 반하는 형태들을 취한다. 작인은 일련의 딜레마를 통해서 살아왔다. 작용은 늘 반작용이라는 딜레마, 행동하기 위해 자아를 모으려는 움직임은 또한 자아를 잃는 움직임이라는 딜레마, 한 선택이 다른 선택들을 배제한다는 딜레마, 작용이 의도치 않은 재앙을 가져올 수 있다는 딜레마, 모든 작인이 좌절하고 불안정하며 사물 안의 잠재성에 끌린다는 딜레마.

이것은 정말로 의지력에 관한 것이 아니라 그보다 훨씬 더 복잡하고 훨씬 더 사물에 뿌리박힌 무엇에 관한 것이다.

• 작인Agency은 행위자가 행위를 할 수 있도록 해주는 인과적 힘을 의미한다. 보통 영혼이나 타고난 자아 같은 것이 작인으로 가정되었다.

구속적 폭력

되찾기, 구속救贖•: 저당 또는 담보 잡혔던 것을 도로 찾음. 고통에서 유래한, 여전히 상실과 공명하는 두 번째 기회.

구속적 폭력의 꿈을 구성하는 재료는 평범하다. 일상과 마초적 영화, 법률, 대중, 제도, 인간성과 권력에 관한 존재론적인 장황한 딜레마들에는 시시비비를 가리고자 하는 충동적 행위의 드라마들이 가득하다. 신화 속 영웅들은 자신을 희생해 세계를 부활시킨다. 엄격한 작은 종교 집단들은 종말의 꿈들로 스스로를 감싼다. 민족 국가는 가족의 가치를 지키기 위해 범죄에 강력하게 대처한다. 사형은 한 번에 한 명씩, 죄악 자체의 처형을 상징하게 된다. 그리고 일상은 정당한 복수라는 소모적 꿈에 쫓기며 서로를 치받는 사람들 간의 끊임없는 충돌로 들끓는다.

구속적 폭력 같은 건 신화일 뿐이라고 해서, 깨어나면 그만인 악몽 같은 것이거나 사람들에게 얘기해줄 수 있는 개념 같은 것이라는 말은 아니다. 그것은 그물을 짤 때 모양

• 구속은 기독교에서 예수가 십자가에 못 박혀 인류의 죄를 대속하여 구원함을 뜻한다.

을 잡아주는 줄에 가깝다. 정치적 신념과 네트워크, 기술, 유사성, 꿈꾸던 가능성과 사건의 잡다한 조각들을 흘려보내는 도관導管이다.

구속적 폭력은 여러 형태를 취할 수 있다. 비열한 옹졸함, 방종한 격분, 자기 파괴 버릇, 과주입되어 부푼 의지, 경계 상태에 있는 몸이 될 수 있다. 그것은 전속력으로 여기저기 쑤시고 돌아다니는 탈선한 감각이 될 수 있다. 아니면 정말로 작은 무엇이거나. 그것은 난폭/보복 운전이고, 또는 아이들을 보호하기 위해 갑자기 폭력적으로 돌변하는 부모, 또는 통제 불능 상태가 되어 아메리칸드림을 난도질하는 마약 중독자들이다. 그것이 자기 역할을 수행하는 방식에는 늘 뭔가 약간 '어긋난' 점이 있다. 약간 슬픈 점 말이다. 구속적 폭력은 사방에서 솟아오르는 공상 같은 생각들을, 일터와 친밀한 공간들에서 모락모락 피어오르는 적개심을 죽이는 10대들이다. 또는 영원한 저주에서 아이들을 구해내려고 익사시키는 안드레아 예이츠•이다. 아니면 빙판에서 아들의 코치와 싸우다 그를 살해한 '아이스하키

• 안드레아 예이츠는 2001년 6월 20일 미국 텍사스주 휴스턴시에서 열 살 미만인 다섯 자녀를 욕조에 빠뜨려 살해했다. 심각한 산후 정신병 진단을 받은 상태였고 종교에 심취했다. 남편과 시어머니가 번갈아 곁을 지켰으나, 남편이 평소보다 한 시간 일찍 출근한 틈에 사건이 발생했다. 정신병 병력이 인정되어 병원에 강제 수용되었다.

아빠' 토머스 준타다. 아니면 그 사건 직후에 전자 기기 매장에서 영수증 없이는 핸드폰 반품이 안 된다는 직원에게 핸드폰을 집어던졌다가 흉기 소지와 폭행 혐의로 체포된 준타의 형제다.

그물

거대하고 비인간적인 어떤 것이 세상을 관통하고 있는데, 동시에 그것은 이상하게 친근하고 바로 가까이에 있는 듯 느껴진다. 추상적인 동시에 구체적인 이것은 멀고 손에 닿지 않는 사물의 질서이자 어떤 일의 근본에 닿으려고 할 때마다 마치 자꾸만 원점으로 돌아오는 고객 서비스 안내 속에 갇히는 듯한, 폐소 공포증을 자극할 만큼 가까운 존재감이다.

이것은 마치 끊임없이 변화하는 끈적끈적한 물질을 둘러싸고 자란 그물과 같다.

이것은 또한 마치 그 그물에 구멍이 잔뜩 나서 물질의 작은 조각들이나 전체 덩어리가 떨어져 내리며 그 자체로 뭔가 새로운 것이 되기 시작하는 것과 같다.

이것은 환상과 공포를 숨긴다.

이것은 궤도를 낳는다.

이것은 사물들 사이에 빠른 전달 체계를 구축한다.

이것은 난데없는 분노와 함께 어디엔가 연결되어 있다는, 그래서 어쨌든 안전하다는(또는 안전하지는 않지만 적어도 '같이 겪는다'는) 살짝 긍정적인 느낌도 불러일으킨다.

세상의 흐름 속에서 자신을 잃게 되리라는 조짐이 있다. 하지만 그 조짐은 재빠른 전달 체계를 통해 거대 산업과 기후 변화, 창고형 대형 매장의 풍경, 종합 계획에 따라 개발된 지역 사회, 온갖 종류의 불평등이 가하는 매일의 구조적 폭력, 잃어버린 잠재성, 살아내지 못한 삶, 여전히 조용히 숨었거나 갑자기 광란으로 터져 나오는 희망이라는, 등골이 서늘한 위협들로 폭증한다.
그게 아니면, 흐름 속에서 자신을 잃게 되리라는 조짐은 제 힘으로는 빠져나올 수 없는 둔하고 공허한 표류가 된다.

음모론

탐사 보도와 대담 프로그램, 텔레비전 시리즈, 영화, 소설, 교과서 등을 보다 보면 정체를 알 수 없는 어떤 권력에 대항하여 때로는 공포에 질린 채 산만한 투쟁을 벌이고 있는 느낌이 들 때가 있다. 정상 상태가 더는 정상이 아니며, 원래 세상이 움직이던 방식에 누군가 손을 댔다는, 우리가 무언가를 잃어버렸다는, 우리가 달라져버렸다는 깊은 우려가 느껴진다.

음모론은 평범한 표면들에 새겨진 비밀 신호들을 통해 권력의 은밀한 움직임을 좇는다. 음모론은 뭔가 좀 이상하다는 모호한 느낌을 취해서는 수수께끼의 틀에 끼워 맞추고 그 밑에 숨은 이유를 찾으러 나선다. 음모론은 소박한 과거로의 회귀와 세상의 지금 상태에 복수하는 행위에서 태어나는 행위 주체의 구원을 꿈꾼다. 그 피해망상적 경계에서 극단주의자들이 등장한다. 외톨이/실패자의 윤곽이 자리를 잡는다. 눈빛에 서린 '도를 넘는' 과잉 경계의 표정과 사회 체제를 향한 끝 모를 분노. '그놈들'이 하려는 짓의 실마리를 던져주는 신호들에 대한 강박적 집착. 일종의 행위자성 위기에서 불거지는 볼거리로서의 폭력적 행위로 급

속히 빠져드는 남자.

하지만 무언가 더 있다. 음모론에는 쾌락이 있다. 비밀스러운 공모와 은밀한 행위들에 대한 내밀한 지식과 '그놈들'이 하는 짓을 추적하는, 똘똘 뭉쳐 서로를 돕는 '우리'라는 좁은 세계. 거기엔 세세하고 창의적인 해석 시도들과 향후 상황을 예측하는 애매한 궤도들, 돌연한 공포와 최종적인 진실을 알려주는 듯했던 꿈, 그리고 '아하! 이 모든 게 **그것** 때문이었어!'라는 깨달음의 순간이 있다.

음모론은 우리가 알지 못하는 어떤 힘이 전방위로 세력을 뻗치며 세상을 지배하고 있다는 널리 공유되는 정서를 말로 표현하며 끊임없이 갈라지고 서로 충돌하는 경로들을 그리면서 나아간다. 음모론은 으레 현 권력 기관을 상대 정치 세력의 수족이라고 생각한다. 당연히 문제는 구조적이며, 사회 구조들은 수수께끼 같고 흥미로우며, 의도적이고, 종종 사악하다고 생각한다. 음모론은 늘 이 모든 것이 이미 혼합된 결과인 '평범함'을 인정하지만, 한편으로는 갑자기 마법 같은 일이 일어나 상황이 완전히 바뀔 수도 있다는 듯이 반전이나 회귀를 손짓하며 부른다.

휴스턴에 떨어지는 빗방울

여자는 귀국하는 중이다. 과테말라에서 출발하여 휴스턴에서 비행기를 갈아타고 오스틴으로 가는 여정이다. 휴스턴에 거의 도착할 즈음 기장이 휴스턴 지역에 폭우가 쏟아졌다는 방송을 한다. 새 관제탑이 물에 잠겨서(설계상 허점이 있었다) 불가피하게 공항이 폐쇄됐다고 한다. 여자가 탄 비행기는 연료가 부족해서 가까운 오스틴 쪽으로 방향을 튼다. 30분 후 오스틴 공항에 착륙할 때쯤이 되자 휴스턴 공항이 다시 열린다. 하지만 연료를 보급받고 나니 휴스턴 공항이 다시 폐쇄된다. 기장이 다른 방도가 없다는 방송을 한다. 오스틴에는 출입국관리사무소가 없어서 누구도 비행기에서 내릴 수 없다. 그들은 활주로에서 아홉 시간을 기다린다. 물과 화장실용 휴지가 떨어진다. 휠체어를 탄 한 남자가 어쩔 수 없이 비행기에서 내려졌다.

마침내 휴스턴에 도착하고 보니, 오스틴으로 향하는 마지막 비행기가 막 출발한 뒤였다. 호텔 할인 이용권이 배포되고 다음 날 아침 비행기가 배정된다. 그들은 호텔 입실 절차를 밟은 뒤에 늦게까지 영업하는 음식점을 찾으러 밖으로 나간다. 그렇게 걸어서 도시의 넓은 도로를 가로지른 시각이 새벽 두 시였다.

아침 여섯 시, 공항 터미널 앞에는 이미 여러 줄이 수백 미터씩 늘어서 있다. 터미널 안은 세 갈래 줄이 뱀처럼 구불구불 이어져 서로 밀고 당기는 사람들로 북새통이다. 그 줄들은 가끔 교차하거나 합쳐지고, 어느 줄이 제일 좋은지, 어느 줄에 서야 하는지, 그 줄이 어떤 줄인지 아무도 알지 못한다. 여자는 다른 승객들과 같이 견딘다. 때때로 붉은 제복을 입은 항공사 직원이 빗발치는 질문을 뚫고 군중 사이를 지나간다. 하지만 직원들도 아는 게 없다. 전광판은 죽었다. 여자는 열 시에 매표소 안내대에 닿는 데 성공하지만, 여자의 아홉 시 비행기는 오래전에 취소되었다는 얘기를 듣는다. 직원이 다음 날 오후 비행기를 예약해줄 수 있다고 말한다. 여자는 당치 않다고 말한다. 어찌어찌해서 여자는 네 시간 후에 출발할 수도 있는 비행기의 대기자 명단에 오른다.

공항 터미널 내부 전광판에 모든 비행 일정이 '지연'으로 뜬다. 여자의 비행기는 아예 보이지도 않는다. 여자는 무작정 돌아다니다가 오스틴으로 가려는 사람들이 몰려 선 게이트를 발견한다. 이후 여자는 비행기에 오른다. 이튿날 아침 뉴스는 휴스턴 공항이 정상화되었다고 전하고, 우리는 아무 일도 없었던 듯 잊으려 애쓴다. 그냥 넘어가는 것이다.

핵폐기물 추적하기

인간의 행위와 복잡계[•] 간의 연관성에는 (최소한으로 보더라도) 불확실한 것들이 있다. 그 틈에서 진실과 전문성이라는 개념이 유리한 기반을 얻지만, 모종의 질서를 굳히려는 바로 그 노력 속에서 불확실한 관계 또한 급격히 불어난다.

에너지부(DOE)가 라스베이거스 북쪽 사막에 전국 규모의 핵폐기물 저장소 설립 계획을 세우고, 여자는 라스베이거스에서 그 계획과 관련하여 벌어지는 사회적 갈등 양상을 조사하는 중이다. 정기적으로 청문회가 열린다. 구성은 늘 같다. 에너지부가 파견한 전문가들이 과학적 원리로 핵폐기물을 제대로 처리할 수 있다고 장담한다. 하지만 그런 말을 해봐야 반발만 불러올 뿐이다. 사람들은 전문가들을 거짓말쟁이라 부르며, 지역의 긴급처리반 요원들이 방사능누출에 대해 아무것도 모르는데 전국 수백 군데에서

• 복잡계複雜系, complex system는 완전한 질서와 완전한 무질서 사이에 존재하는 계로서 상호 작용할 수 있는 수많은 구성 요소로 구성된 체계다. 비선형성, 창발성, 자생적 질서, 적응, 되먹임 고리 등과 같은 뚜렷한 특성을 보인다. 지진, 산불, 글로벌 기후, 인간의 두뇌, 도시, 우주 등의 예가 있다.

나오는 핵폐기물이 슬그머니 트럭에 실려 대륙을 가로질러 '뒷길'로 오다가 무슨 일이 생길지 누가 아느냐며 상세한 가상 시나리오를 들이댄다. 핵폐기물을 달로 쏘아 보내거나 대양 밑바닥에 파묻거나 하는, 에너지부가 채택할 만한 반짝이는 핵폐기물 처리 아이디어를 내놓기도 한다.

난처해진 에너지부 과학자들이 원래 하기로 했던 말과 반대되는 말을 하기도 한다. 지질학이 예측에 능한 과학이 아니라는 말, 또는 1만 년 사이에 땅속에 묻힌 플루토늄이 어떻게 될지는 누구도 알 수 없다는 말 같은.

한번은 에너지부가 어느 카지노에서 청문회를 열어서 시민들이 직접 보고 만져볼 수 있도록 핵폐기물 수송 용기를 전시한다. 에너지부의 지휘 체계를 그린 도표도 제시한다(아주 체계적으로 보인다). 그러고는 대중의 비이성적인 공포를 패러디한 만화들을 보여준다. 그중 하나는 핵폐기물 통을 4미터 높이로 쌓아 실은 소형 트럭을 그린 만화다. 트럭이 뉴욕시 터널 입구에 멈춰 서 있다. 청바지 위로 배가 불룩하게 튀어나온 일꾼들이 차도에 멍하니 서서 '3.3미터'라고 적힌 통행 높이 제한 표지판을 쳐다본다. 트럭에서 통이 하나 떨어지더니 터널 진입로를 따라 굴러간다. 결정을 내려야 할 순간이다. 한 남자가 말한다. "그냥 가!" 에너지부가 자기네 체계는 그렇지 않다고 말한다. 그들에게는 인적 위험 요인을 피할 수 있는 기술이 있다. 품질 관리 시스템도 있다. 에너지부 국장이 나와서는 사람의 몸이 핵폐기물과 접촉해도 터지지 않는다는 걸 보여주려고 핵폐기물 통에 손을 댄 채로 족히 1분간 가만히 있는다(물론 그가 손을 댄 통은 빈 통이었다). 그러고는 사람들을 바깥 주차장으로 안내하여 첫 예행연습으로 핵폐기물 통을 싣고 대륙을 가로질러 온 초대형 트레일러를 보여준다. 사람들이 트레일러 안으로 들어가 통을 만져보고 그 '안전 격납 시스템'이 요란하게 웅웅거리는 소리를 듣는다. 거기엔 번쩍거리는 불빛이 여러 개 붙어 있다.

그때 여자가 앞쪽으로 가서 운전석에 앉은 트럭 운전사에게 말을 건넨다. 운전사는 소매를 잘라낸 할리 데이비슨 티셔츠를 입고 귀에 귀고리를 여럿 달았다. 그는 자신이 C단계보다 더 높은 G단계 안전 기준을 통과했다며 그 얘기를 하고 싶어 한다. 여자가 조수석에 놓인 컴퓨터 키보드에 관해 묻는다. 그가 경험담을 들려준다. 원래 통이 있던 뉴저지에서 트럭을 몰고 나올 때, 트럭의 위치를 항상 알 수 있도록 15분마다 시스템에 접속하라는 요구가 있었다. 컴퓨터를 써본 적이 없던 그는 그냥 농담처럼 응수했다. "아, 물론이죠. 거기 도착하면 전화할게요." 그런데 알고 보니 그 키보드는 사용법이 간단했다. 식은 죽 먹기였다. 처음 접속했을 때 그를 추적하는 위성 신호를 읽고 있던 사람들이 경로를 바꾸었느냐고 묻는 긴급 메시지를 보낸 것만 빼면 말이다. 그는 원래 지시받은 경로가 그 경로라고 입력했고, 그랬더니 그가 잘못된 경로에 있다는 경고가 떴다. 경로를 어떻게 바꾸었는지 상세히 열거하라는 두 번째 긴급 메시지가 왔다. 그래서 그는 컴퓨터를 꺼버렸다. 자기 차에 진짜 핵 물질이 실려 있었다면, 그런 사람들의 말 따위는 들으려 하지 않았을 게 뻔하기 때문이었다. 누구든 하려고만 들면 위성 통제권을 손에 넣을 수 있었다. 테러리스트이든 멍청이든 간에. 어딘가에 이런 물질을 손에 넣고 싶어서 안달할 테러리스트들이 있었다.
그는 위치 추적을 당하는 일 없이 담당자가 준 경로를 따라 대륙을 가로지르는 운송을 끝냈다. 그는 사흘 동안 추적망에서 벗어나 있었고, 아무도 그의 위치를 몰랐다. 어쨌든, 그것이 그의 경험담이었다. 그리고 여자는 평소와 달리 안에서 에너지부가 주장하는 뻔한 사업 얘기를 듣지 않고 거기서 하루를 마칠 수 있어서 더욱 만족스러웠다.

움직이는 표적들

일상은 움직이는 표적이다. 처음부터 이해가 가는 대상이 아니라 반응을 자극하는 한 다발의 느낌이다.

어떤 것이 감지되거나 또는 감지되지 못한 채 표류할 가능성이다.

우리는 길가 광고판처럼 불쑥 솟아오르는 큰 이야기들을 가지고 일상을 찾으려 애쓴다.

우리는 프로젝트와 추진 현황표, 실패, 역전, 또는 도주를 통해 일상을 추적한다.

우리는 지루한 반복과 성가신 일을 통해, 표류와 제자리 뛰기와 휴지기를 통해 일상의 힘을 드러낸다.

일상은 생산성 향상과 인위적으로 구축된 환경의 진부함 같은 조건들 속에서 추적될 수 있다.

또는 감각의 직접적인 상품화 속에서.

또는 이제는 소비자가 시민인 방식 속에서.

또는 각종 마약에서, 아니면 교도소 증설에서, 아니면 목 근육에 쌓이는 스트레스에서, 아니면 육체의 충동과 밀려오는 꿈들 주변에 풀잎처럼 솟아나는 작은 생태계에서 일상을 찾을 수 있다.

일상은 인종과 계급에 따른 제도적 차별 강화 문제에서 명확하게 표명되는 '그러거나 말거나 식/자유방임적' 태도들 속에서 움직인다. 또는 승자 아니면 패자가 되는 게임에서 개인에게 주어지는 가혹한 책임 속에서. 승자냐 패자냐, 이제 선택지는 둘뿐이다.

아메리칸드림

아메리칸드림이 예리한 주목을 받고 있다.
이제는 승자와 패자만 있다.
꿈은 눈 깜짝할 사이에 악몽을 만난다.
초월과 은둔의 꿈이 무모한 승리 또는 탈출의 희망을 유포하는 한편, 불안한 감각들이 중독과 막다른 길과 음모라는 관용구들 속에서 원치 않는 힘과 숨겨진 위협 들을 추적한다.
걱정이 제재 없이 마구 돌아다닌다. 하지만 가능성의 느낌도 그렇다.
지나치게 긴장한 꿈들이 땅에 떨어지지만, 공포 영화에 나오는 괴물이나 험한 꼴을 당하고도 자꾸 돌아오는 바보처럼 결과는 늘 다시 일어나 이해할 수 없을 만큼 생기를 회복하니, 우리는 오르막과 내리막 사이에서 비틀거린다.
비상飛上의 길도 매혹적이다. 부유하고 유명한 이들의 불어나는 재산, 완벽하게 은신할 수 있는 오두막이라는 꿈, 또는 실패 후에 삶을 다시 꾸리게 된 사람들의 고만고만한 성공 사례들.
정처 없이 표류하는 감정들이 가벼운 스트레스와 외로움,

공포, 갈망, 억울함, 근거 있는 분노, 사랑과 이별의 표면 장력에 자리를 잡는다.

떠 있기 놀이

가라앉는 사람들이 있다. 반면에 물 위로 솟을 수 있다고, 물 위를 걸을 수 있다고 주장하는 사람들이 있다.
어떤 사람들은 자신의 모순을 배지처럼 달고 산다.
쾌락은 기발하거나 웃긴 이미지에, 또는 사물을 꿰뚫어 볼 수 있는 데에 있다.
아니면 제일 좋아하지만 형편없는 TV 오락 프로그램을 견디며 보는 데에, 체육관에서 이런저런 수업을 듣는 데에, 차 안에서 요란한 음악을 따라 부르는 데에 있다.
아니면 온갖 마약에.
보호 시설에서 먹는 밥, 또는 오존주의보 덕분에 공짜로 타는 버스, 또는 쓰레기통에 버려진 온전한 도넛 한 상자, 또는 혹한의 밤에만 제공되는 교회 바닥의 잠자리에는 우울한 쾌락이 있다. 하지만 물론 이것들이 일상에 활기를 불어넣는 약간의 감각적 해방과 같지는 않다. 그보다는 억지로 하는 발차기, 즉 바닥 없는 물속에서 출발점을 찾으려고 끊임없이 반복하는 분주한 몸놀림에 더 가깝다.
아주 떠나고자 하는 꿈이 있다.
아니면 무언가를 거저 얻고자 하는 꿈이.

일상은 무슨 일이 터지기를 살피고 기다리는, 표류하는 침잠沈潛이다.
실험이다. 잘 보이는 곳에 숨어 있는, 시도해볼 만한 어떤 것이다.
캐리는 자칭 마녀이자 집시다. 147센티미터 키에 허리 밑으로 내려오는 새까만 머리카락. 대학에서 사무를 보지만 생계를 꾸리기가 썩 여의치 않다. 그녀는 집세를 아껴보려고, 여행을 떠나는 교직원들을 대상으로 무료 입주 반려동물 돌봄 서비스를 운영한다. 이 집에서 돌보미로 일하다가 저 집에서 돌보미로 일하는 식이다. 일이 없는 기간에는 친구들 집에 얹혀산다.
그녀는 거침없으면서도 대단히 체계적인 사람이다. 대기업 중간 관리자에 필적하는 정밀함으로 사업을 운영하지만, 한번은 연애에 모든 것을 걸고 오스트레일리아까지 갔다가 상황이 나빠져 오도 가도 못하는 신세가 되기도 했다. 거기서 그녀는 자신이 도박에 재능이 있음을 알게 된다. 카드놀이로 몇천 달러를 따서는 집으로 돌아오는 비행기 표를 사고 남은 돈은 미국에서 다시 자리를 잡는 데 요

긴하게 썼다.

지금 그녀는 네바다주로 잠깐 여행을 떠나 주 경계에서 제일 먼저 보이는 싸구려 카지노에 들른 참이다. 어디에나 사연들이 있는 법……. 그녀는 카지노로 들어서자마자 어떤 아우라를 뿜어내는 기계 하나를 점찍는다. 하지만 아직 때가 아니라서 기다려야 한다. 숙박 절차를 밟고, 객실 텔레비전으로 잠깐 제임스 본드 영화를 본다. 시간이 거의 다 됐다. 그녀는 옆 기계에 앉은 여성과 잡담을 나누고 바에서 밴드 연주를 듣기도 하고 다시 기계 옆에서 어슬렁거리고 또 다른 TV 프로그램을 보다가 드디어 점찍은 기계 앞으로 돌아간다. 자정이 넘은 시각이다. 기계 앞에 앉아서 정신을 집중한다. 옆 기계에 앉았던(아직 거기 있는) 여성이 뒤에 서서 응원한다. 2달러짜리 슬롯으로 잭팟이 터진다. 옆에 있던 여성의 응원이 도움이 되었다고 판단한 데다, 어쨌든 좋은 인연이었으므로 한몫을 떼어 준다. 그러고는 날이 밝기 전에 다시 한 번 그 기계로 가고, 기계가 또 보답한다.

캐리는 기계가 때를 만나는 시기를 자신이 어떻게 아는지 말로 설명하기 어렵다고 한다. 그냥 느낌이라고. 그저 재미로는 하는 기계들이 있고 진지한 것들도 있는데, 모두가 어느 정도는 보상의 조짐을 품고 있다. 기계에서 어떤 확신을 찾아내는 그녀의 재능은 확률을 승리의 꿈으로 실현하고, '승자가 되고 싶다'라는 모호하지만 강력한 소망을 소음과 번쩍이는 불빛들 속에서도 목표물에서 눈을 떼지 않는 감각적 실행으로 바꿔낸다. 그녀의 도박은 그저 멀리서 결정하는 힘들의 잔여물이나 징후가 아니라, 정서적이고 물질적인 창발創發•의 실제 사례이며, 그녀의 주의를 말 그대로 사로잡아 그걸로 무얼 할 수 있을 만큼 오래 붙잡아주는 특이점特異點••이다.

• 창발emergence은 하위 계층에 없는 특성이나 행동이 상위 계층에 돌연히 출현하는 현상을 말한다.

•• 특이점singularity은 어떤 기준을 상정했을 때 그 기준이 적용되지 않는 점을 이르며, 인간이 현재 알고 있는 물리 법칙이 적용되지 않는 지점을 이를 때도 쓰인다.

밀어붙이기

여자가 라스베이거스의 트레일러하우스 주차장에서 지내던 어느 날, 거주민용 공동 목욕탕에서 어떤 젊은 남자를 만난다. 남자는 중서부에서 막 이사를 왔다. 당분간 가족들과 같이 이곳에 머물 수도 있지만, 그는 벌써 최저 임금을 받고 타이어를 나르는 일자리를 찾았다. 그가 일한 첫 주에 손가락이 잘렸다며 손가락을 보여준다. 손톱이 빠지거나 한 일인 양 얘기한다. 젊은 남자가 일하다 보면 그 정도는 예사라는 듯이.

그를 보면서 여자는 돈을 벌려고 자해하는 사람들 이야기를 떠올린다. 한 인물이 익숙한 절망을 특이한 순간으로 바꾸는 이야기들. 절망의 정수에다 기이한 의지력이나 생명력(또는 다른 것)을 더해 절망 이상의 것을 만드는 이야기들.

예컨대 이런 이야기들이 있다. 웨스트버지니아주에 사는 어느 늙은 광부는 아프거나 돈이 필요할 때마다 손가락을 잘라 산재 보험금을 타내다 결국 손가락이 하나만 남는 바람에 일을 할 수 없게 되었다. 오스틴 외곽에 사는 어떤 남자는 슈퍼마켓에서 바나나를 밟고 넘어졌다고 주장하며 보험금을 타내 '물뱀'이라는 별명으로 불린다. 그는 나중에 실수로 자기 다리를 쏘는 바람에 완전히 불구가 된다. 술을 진탕 마시다 저지른 일이다. 카우보이 문학에는 방목장에서 사고로 자신에게 상처를 입히는 카우보이에 관한 소설 장르가 따로 있다. 그런 소설에서 주인공은 실수로 자기 발가락을 자르거나 다리의 동맥을 끊는다. 그러고는 피가 많이 나도 그냥 부츠를 신고 먼 거리를 직접 운전하여 시내로 들어간다. 병원에 닿을 즈음이면 정신을 잃을 지경이 되고, 부츠 안에 고인 피는 철철 흘러넘친다.

이런 이야기들에서는, 일터에서 예상되거나 허용되는 부상의 정도가 일반적인 합리적 이성을 넘어 한계점까지 치닫는다. 따라잡을 수가 없다. 이런 이야기들에서는 어떤 일이든 일어날 수 있고, 기묘한 형태의 의지력과 교활한 술수가 비뚤어진 사람을 만나면 그런 일들이 실재가 된다. 신체 부위들이 위기의 순간에 적당한 양의 현금으로 바뀔 수 있는 실제 상품이 되는 것이다.

사람들은 매사추세츠주 로렌스시가 이 나라 보험 사기의 중심지라고 말한다. 어떤 차가 고속으로 달리다 다른 차와 정면충돌하면서 뒷좌석에 앉은 할머니가 사망하는 사건이 있었는데, 나중에 보험 사기로 밝혀졌다. 두 차의 운전자가 사기 혐의로 기소된 것이다. 브로커들이 사고를 낸

운전자들을 찾아다니며 진단서를 써줄 의사와 변호사에게 데려다주고 한몫씩 받곤 한다.

살아남으려는 노력이 순식간에 자멸적인 사고로 이어질 수 있는데, 특히 일을 과하게 밀어붙였을 때가 그렇다(하지만 꼭 그런 때만은 아니다).

추락

잘못 놓인 몸들이 있다.

추락하는 숱한 사람들이 있다.

그들이 꿈꾸는 아메리칸드림이라는 것이 모든 실질적인 가능성과 단절된, 말 그대로 꿈꾸기뿐인 사람들이 있다.

하지만 그게 멈출 이유는 되지 않는다. 오히려 반대다.

딱히 제대로 돌아가는 상황은 아니지만 그렇다고 꼭 '나쁠' 이유는 없다. 그러나 나빠질 수도 있다.

몽상

여자는 웨스트버지니아에서 보낸 어느 밤을 기억한다. 파업 광부들이 빈곤층을 대상으로 하는 보건소에 앉아서 진료를 기다리고 있다. 그들은 서로 바싹 붙어 앉아 바깥 어둠 속에 어렴풋이 드러난 산들을 내다보며 느리고 친근한 억양의 말과 잠깐의 명상 같은 침묵으로 대화한다. 근로계약 조건을 둘러싼 오랜 파업의 막바지이고, 파업이 보기 좋게 실패하리라는 사실이 순간 분명해진다. 다들 노조가 죽었다고, 이번에는 광산이 완전히 문을 닫을 거라고, 광부들의 주장은 '회사가 나쁘다'는 얘기밖에 없다고 말한다. 우리는 방 안에 내려앉은 어이없는 패배의 주문呪文을 느낀다. 무거운 얘기들은 훨씬 더 무거운 짧은 침묵에 자리를 내주고, 진폐증을 앓는 남자들의 억눌린 듯 얕은 숨소리만이 그 침묵을 채운다.

그때 조니 캐들이 정교한 공상을 펼치기 시작한다. 언젠가는 그들이 록펠러 주지사가 사는 저택의 높다란 벽돌담을 기어올라 값어치 있는 것이라면 뭐든 깡그리 약탈할 것이다. 다른 사람들이 그 이야기에 귀를 기울인다. 이야기가 계속될수록 높은 벽돌담을 깨부수는 강력하고 단결된 노동 계급의 남성성이라는 이미지가 점점 뚜렷해지고, 마치 실체가 있는 것인 양 벽돌담이 산산조각 나더니 전리품이 되어 뿔뿔이 흩어진다.
이야기는 휘청거리다가 순식간에 끝난다. 그 이야기는 현실적인 가능성을 그려 보이거나 행동 전략을 제시하지 않는다. 다만 생생한 하나의 사건일 뿐이다. 경험한 것들과 그 안에 숨겨진(또는 그로부터 숨겨진) 잠재성을 아주 잠깐 이어주는 통로다. 잠재력은 제 장소에서 공명한다. 그 이야기는 그 방의 짓눌린 분위기에 등 떠밀린 하나의 실험이고, 실험이 끝나자 사람들은 그저 조용히 같이 앉아 있을 뿐이다. 마치 무슨 일이 있었던 듯이.

망한 강도질

여자는 망한 강도질에 관한 이야기를 듣는다. 한동안 남의 도움 없이 살아온 겨우 스무 살이나 될까 싶은 젊은 불량배 둘이 있었다. 일자리를 얻으려고 보니 차도 없고 신분 증명 서류도 없다. 운전 면허증이나 식료품 쿠폰을 받으려고 보니 빌린 차는 고장 나고, 가진 돈 12달러는 도둑맞은 데다, 종일 빈둥거리며 식료품 쿠폰 사무실에 앉아 있는 짓도 못 할 노릇이다. 둘은 언젠가 멋지게 한탕하고 총알 세례를 받으며 죽을 거라고 허풍을 떤다. 은행이나 뭐 그런 걸 털고 부자들을 쏴버릴 거라고. 길거리 불량배 중 나이가 좀 있는 치들은 늘 크게 한탕 터트리고 멋지게 죽는 이야기를 한다. 특히 암에 걸리거나 세상의 종말이 다가온다는 사실을 알게 되면 말이다. 그렇게 할 거라고, 진짜로 그럴 거라고, 그들은 장담한다. 마치 번득이는 어떤 힘이 그들을 길거리에서 내몰아 스포트라이트 아래 세우기라도 할 듯이. 아니면 적어도 그러는 편이 삶에 진짜 최후를 안겨주기라도 할 듯이. 아니면 뭐가 됐든.

하지만 이 두 젊은이는 자포자기한 상태에서 허투루 세운 계획을 실제로 감행하려 했다. 어느 날 길을 가다가 야구

방망이를 들고 어느 편의점을 털러 들어간 것이다. 그러고는 도망쳤는데 다섯 블록도 채 못 가 경찰에 체포됐다. 둘은 감옥에 갔다. 돈이 없으니 가석방도 없었다. 25년 형을 받았다. 사람들이 고개를 저었다. '바보짓' 했네. 여긴 텍사스야.

꿈에 베이다

여자가 『뉴욕타임스』에서 짧은 기사 하나를 오려낸다.

> **납치 살인 혐의 세 건에 종신형이 선고되다**
>
> 일리노이주 휘턴시. 지난 월요일에 있었던 공판에서 임신한 전 여자 친구와 그녀의 두 아이를 살해하고 산달에 임박한 태아를 자궁에서 꺼내 납치한 남성에게 무기 징역이 선고됐다. 피고인 레번 워드(26세)는 살해 가담 혐의를 부인했다. 워드는 1995년에 데브라 에번스(26세)와 딸 사만사(10세), 아들 조슈아(7세)를 살해한 혐의로 유죄가 확정된 바 있다. 태아 납치 혐의 역시 유죄로 인정되었다. 아기는 생존하여 외할아버지의 보호를 받고 있다.

기사를 읽은 여자는 시골에서 이 사건을 두고 친구들과 얘기하던 장면을 떠올린다. 여자 다섯 명이 주방에 앉아 이 살인 사건의 세부 내용을 짜 맞춰본다. 한 남자와 그의 여자 친구가 남자의 전 여자 친구의 배를 가르고 태아를 꺼내다니! 세상에나! 그러고는 그 여자 친구가 아이를 제 아이인 양 집으로 데려가다니, 아무도 눈치 채지 못할 거라는 듯이! 여자들은 이 점에서 혼란에 빠진다. 어쩌면 그 여자 친구는 그저 아기를 원했으리라. 아니, 정확하게 말하자면, 아기가 아니라 즉석 엄마 노릇을 하면서 받는 약간의 주목을 원했을 터이다.

여자는 그게 그림처럼 완벽한 삶을 누리려는 격렬한 충동 같은 것이었으리라 생각한다. 그 사건은 흡사 이미지를 물질로 바꾸는 중에 뭔가 잘못되어 건잡을 수 없게 된 사태처럼 보인다.

여자들은 그게 현실이 아닌데도 깨어날 수는 없는 꿈속에 있는 기분 아니었을까 짐작한다.

그러자 이 섬뜩한 살인 사건에 이어 다른 기억이 떠오른다. 길 저쪽에 사는 남자 이야기다. 그가 아버지의 물건을 훔쳤는데, 아버지가 아들을 교도소에 보내버렸다. 출소한 그는 아버지를 죽이고 사체를 스무 토막이 넘게 절단했다. 그러고는 의붓어머니를 강간하고 납치해 차에 싣고 달아났다. 그 의붓어머니가 도망쳐 경찰에 신고했다.

여자들은 마약과 악마를 이야기한다. '이' 세상의 어떤 것도 '그런 놈들'이 '그런' 짓을 하도록 만들지는 않으리라는 얘기다.

시간이 지난 뒤, 어느 크리스마스이브에 시카고의 장거리 고속버스 정류장에서 어린이가 납치된 사건이 신문에 실린다. 납치범은 교도소에 있는 남자 친구에게 그의 아이를 낳았다고 말했었다. 그래서 그의 출소가 임박하자 자기 말을 입증해야 할 처지가 됐다. 그녀는 고속버스 정류장에서 노닥거리다가 어린아이 둘을 데리고 버스를 타려는 젊은 여성과 우연히 대화를 나누게 되었다. 납치범은 밀워키에 있는 그들의 집까지 차를 태워다 주겠다고 했다. 그러면서 젊은 엄마에게 어린애는 자기가 보고 있을 테니 큰애를 데리고 버스표를 환불받아 오라고 말했다. 엄마가 자리를 뜨자 납치범은 그 어린 여자아이를 데리고 도망쳤다. 아이를 데리고 다른 주에 소재한 자기 집에 있다가 금세 발견됐다. 알고 보니 그녀가 어린이 유괴 건으로 체포된 것이 그때가 처음이 아니었다.

꿈을 향해 나아가며 휘청거린 사람들의 이야기가 비단 이뿐이겠는가. 이런 이야기들은 사방에서 튀어나온다.

월마트가 직원들의 절도를 막으려고 야간 노동자들을 밖으로 내보내지 않는다는 말이 암암리에 돈다. 마이클 로드리게스는 텍사스주 코퍼스크리스티에 있는 월마트 계열의 창고형 대형 할인점에서 야간조로 일했다. 그가 선반에 상품을 진열하다가 다른 직원이 몰던 전동 카트에 발목을 치였다. 현장에는 그를 바깥으로 내보내줄, 열쇠를 가진 관리자가 없었고, 노동자들은 화재를 제외한 어떤 이유로든 비상구를 이용하면 해고된다는 경고를 받은 상황이었다. 관리자가 오는 데 한 시간이 걸렸고, 그러는 동안 로드리게스는 '길거리의 다친 개처럼' 비명을 지르며 펄쩍거렸다.

다른 감금 사례들을 보면, 인디애나주에서는 한 노동자가 심장 발작을 일으켰고, 조지아주 서배너에서는 재고 담당자가 쓰러져 구급 대원들이 안으로 들어가지 못하고 있는 사이에 죽었다. 플로리다주에서는 허리케인이 덮쳐 점포가 거의 박살나는 와중에도 노동자들이 안에 갇혀 있었다. 그런가 하면 여성 노동자가 매장 안에서 출산을 한 사례는 전국에서 찾아볼 수 있다. 어떤 노동자들은 사측이 말하길

방화문은 물리적으로 열리지 않는다고, 하지만 화재 경보가 울리면 마법처럼 열릴 거라고 한 것을 기억한다. 방화문이 쇠사슬로 잠겨 있었다고 회상하는 노동자들도 있다. 월마트 임원들은 월마트가 3500개소가 넘는 영업장을 보유한 초거대 기업이라고 말한다. 사람을 감금하는 영업장이 있다면 결단코 월마트가 묵과하지 않을 거라고, 그들은 말한다. '그런 규정은 없습니다.' 그들이 우리에게 해줄 수 있는 얘기는 그 정도에 불과하다.
월마트는 유급 초과 근무를 금지한다. 그래서 야간조 직원들은 매주 다섯 번째 출근일에 일을 하다가 주 40시간 근무가 차는 순간 출퇴근 등록기에 퇴근 기록을 한다. 그때가 대개 새벽 한 시경이다. 그러고는 여기저기 앉아서 졸거나 카드놀이를 하거나 텔레비전을 보고 있으면, 아침 여섯 시에 관리자가 와서 밖으로 내보내준다.

휠마트 Whirl-Mart•

휠마트 활동가들은 쇼핑 문화를 방해하는 사람들이다. 거짓 정보 흘리기와 해킹, 광고판 해방 프로젝트 같은 '휠마트 운동'은 광포한 언론 기계 안으로 잠겨 들어 일시 정지를 유발하는 모종의 표식을 남기거나, 옳고 그름, 참과 거짓의 질서에서 출발하여 완전히 성숙한 비평이라면 그냥 미끄러지고 말 불안정한 표면에 달라붙을 수 있는 환경을 구축하는 내재적인 비평 활동이다.

휠마트 활동가들은 쇼핑 안 하기 판을 벌인다. 단체로 티셔츠를 맞춰 입고 빈 카트를 밀면서 줄지어 월마트 매장 안을 돌아다닌다. 천장에 달린 보안 카메라들이 그들의 이상한 행진을 지켜본다. 휠마트 활동가들은 매장에서 쫓겨나면서도, 또는 매장 관리자들이 자신들을 향해 고함을 칠 때도, 그 모습을 촬영해 영상을 만든다. "여기서 이렇게 죽치고 있을 거면 차라리 취직을 해!!" "고객들은 우리

• 휠마트는 예술 행동을 표방하며 대형 소매점들을 겨냥하는 문화 교란 culture jamming 운동으로, 2001년에 시작되었다. 주로 월마트로 대표되는 대형 소매점 매장에 모여 한 시간 동안 아무것도 사지 않으면서 빈 쇼핑 수레를 밀며 매대 사이를 도는 운동을 벌인다.

매장을 좋아한다고!" "이봐, 우리가 일등이야, 『포춘』 선정 500대 기업에서. 우리가 일등이라고!"
한번은 월마트 활동가들이 매장에 살아 있는 닭을 들고 가서 제3세계 노동 착취 공장에서 만든 의류 제품과 교환할 예정이라는 보도 자료를 언론에 뿌렸다. 경찰과 매장 관리자들이 닭 반입을 막기 위해 인간 장벽을 쌓았다. 그러자 활동가들은 각자 차를 타고 미리 준비한 경쾌한 반反월마트 노래를 크게 틀고서 마트 주차장을 빙빙 돌았다. 그런 뒤에 전체 영상을 인터넷에 올렸다.

텍사스 세븐•

텍사스주 남부에 있는 교도소에서 죄수 일곱 명이 탈출한다. 경찰이 근처 월마트 주차장에서 이들이 도주할 때 쓴 트럭을 발견하고, 그곳 보안용 감시 카메라가 탈옥수들의 모습을 영상으로 포착한다. 죄수들은 전자 기기 소매점을 턴 다음 가명으로 모텔에 투숙한다. 크리스마스이브에는 스포츠 용품점을 털어 상당량의 무기를 훔치고 현지 경찰관 한 명을 살해한다. 탈옥수들은 한 달간 잡히지 않는다. 현상금이 제시된다. 온갖 얘기들이 나돈다. 그들은 법망을 피해 도망 다니는, 영화에 나오는 무법자들 같다. 아니면 텍사스가 멕시코의 지배를 받던 시기 한 노래에 나오는, 말을 타고 텍사스 레인저스를 따돌리며 텍사스주 전역에 신출귀몰했다는 산적들 같다. 한번은 아칸소주와 오클

• 텍사스 세븐은 2000년 12월 13일에 텍사스주 케네디시 인근 교도소에서 탈옥한 일곱 명의 죄수를 일컫는다. 탈옥 후 한 달이 넘도록 행방이 묘연하다가 이들의 얼굴을 알아본 사람의 신고로 여섯 명이 체포되고 나머지 한 명은 그 과정에서 자살했다. 체포된 여섯 명은 모두 사형 선고를 받았고, 그중 네 명의 형이 집행되었으며, 나머지 두 명은 2019년 10월과 11월에 형 집행이 예정되어 있었으나 연기되어 2021년 4월 현재까지 생존해 있다.

라호마주에 눈보라가 치는데 차량 타이어에 감을 스노 체인을 당최 구할 수가 없다. 지나가던 텍사스주 경찰이 몽땅 사 갔기 때문이다.

텍사스 세븐이 좋은 놈들이라고 말하는 이들도 있다. 탈옥하면서 교도관을 한 명도 죽이지 않았으므로. 그들이 친구이고 사람이며 저마다 아내를 사랑하므로. 경찰은 그들이 무정한 범죄자들이며 경찰을 죽인 살인범이라고 말한다. 검찰은 그들이 잡히기도 전에 사형을 구형했다. 그래서 사형 제도와 교도소 증설의 효과를 두고, 그리고 믿기지 않는 수준인 교도소 과밀 상태를 두고 말들이 돈다.

콜로라도주에서 레저용 자동차 캠핑장을 운영하는 남자가 TV 프로그램 「미국의 지명 수배자」를 보고는, 자기 트레일러하우스 하나를 임대한 남자들이 텍사스 세븐이 아닐까 의심한다. 하지만 확신은 못 한다. 처음에는 신고를 하지 않는다. 어쨌든 자기가 그럴 만한 입장인지 확신이 없으니까. 그는 아내와 의논하기로 한다.

그러는 사이에 남자들 중 한 명이 트레일러를 떠나 동네 교회에 예배를 보러 다니기 시작한다. 사람들이 교회에서 그 남자를 몇 번 본다. 분명히 그를 알아볼 것이다. 캠핑장 주인은 그를 신고하기로 마음먹는다.

일곱 남자들은 서로 친하기 때문에, 또 헤어지기 전에 신분 증명 서류와 일자리를 마련해야 하기 때문에 함께 지낸다(그것이 실수다).
경찰이 들이닥쳤을 때, 그들 중 세 명은 트레일러 바깥에 주차된 지프 체로키에 타고 있다. 다른 두 명은 트레일러 안에 있다. 그중 한 명이 순순히 항복한 데 반해 다른 한 명은 권총으로 자살한다. 나머지 두 명은 근처 홀리데이인 호텔에 숨어 있다가 이틀 후에 발각된다. 이 둘은 체포되기 전에 무선 라디오를 통해 텍사스주의 사법 제도를 비난하는 생방송을 한다. 마지막에 그들은 덧붙인다. "사법 제도는 우리만큼이나 썩었다."
이 남자들, 특히 '주모자'인 조지 리바스의 일생에 대한 시시콜콜한 이야기들이 계속해서 항간에 떠돈다. 그는 아주 똑똑하다. 엘파소에서 태어났고 부모가 이혼한 후 조부모 슬하에서 컸으며, 경찰관이 되고 싶어 했다. 하지만 고등학교 때 거의 학교생활에 참여하지 않았다. 그는 키우던 개들에게 총기 이름을 따서 루거와 바레타라는 이름을 붙였다. 고등학교를 졸업하고 1년 뒤 처음으로 강도와 절도 사건을 저질렀고, 집행 유예 10년을 선고받았다. 엘파소에 소재한 텍사스대학에 인문사회과학 전공으로 입학했으나, 2년 후에 전자 기기 판매점과 스포츠 용품점, 대형 장난감 체인점 등을 상대로 강도 행각을 벌였다. 교도소에서는 모범수로 분류되어 가장 좋은 보직인 교도소 관리 부서에서 일했다. 그는 교도소 생활에 점차 환멸을 느꼈다(종신형을 선고받은 상태였다). 밤마다 간이침대 하나와 세면대 하나, 변기 하나가 전부인 간소한 한 평짜리 감방에 갇혀 지내는 것과 형편없는 음식에 진절머리가 났으며, 외출금지 시 감방으로 돌아갈 때마다 철컹 닫히는 철문 소리에도 지쳤다.

그가 잡혔을 때 남긴 말은 정의와 분노에 관한 것이다. 그는 똑똑하게 말을 잘한다.

공적 유령들

공적 영역과 사적 영역이 단단한 하나의 회로로 끌려 들어가면서 일상은 만천하에 알려지는 사생활이라는 환상적인 성질을 갖게 된다. 대중적으로 유통되는 양식과 감각과 감정이 전 국민의 마음속에 동시에 자리 잡는다.

공적 유령들은 이미 친근하다. 온갖 사람들이 줄줄이 대담 프로그램에 나와서 사랑하는 이들이 저지른 이런저런 극악무도한 짓들을 폭로한다. 다른 예로는 페인트 냄새에 중독된 어느 가족의 사연에 카메라를 들이대는 리얼리티 TV 프로그램이 있다. 우리는 남의 거실 카펫 위에 흩어진 커다란 페인트 통 뚜껑들을 사랑스럽기라도 한 듯이 주시하며 시간을 때운다. 그러다 카메라는 방향을 틀어 스스로 만든 성흔이라도 되는 양 뺨과 턱에 둥그렇게 흰 페인트 자국이 난 부모의 얼굴에, 심지어 어린아이들의 얼굴에도 초점을 맞춘다.

'트라우마 TV' 채널은 갈가리 쪼개진 정신 분열적 가닥들이다. 고통과 장애를 악의적인 시선으로 다루고는 곧바로 치료에 관한 30초짜리 촌평을 내놓는다. 형편없이 꾸며낸 이야기들이라 해도, 우리는 그 '무언가'가 지닌 강렬함과 마주치는 경험에 다시 빠져든다. 그러다 한계에 이르러서야 시청을 그만두는 것이다.

하루는 오후 대담 프로그램에 휠체어를 탄 나이 든 남자가 나온다. 그는 1976년 어느 날에 겪은 일을 이야기하며 하염없이 눈물을 흘린다. 아내가 떠나고 혼자 두 살짜리 딸을 기르고 있었다. 그런데 현관 앞 베란다에서 놀던 딸이 그가 잠시 화장실에 간 사이에 그날 아침 이웃 사람이 가져다 놓은 등유 통을 발견하고 마셔버린다. 남자의 사연이 눈앞에 그려지듯 생생하게 펼쳐진다. 진입로에 차가 있지만 번호판이 없는 데다, 그는 음주 운전으로 면허가 취소된 상태였다. 하지만 응급 상황이었으므로 그는 아이를 차에 태우고 서둘러 출발한다. 시내에 도착하니 차가 밀린다. 신호를 무시하고 달리려 해도 다른 차들이 가만히 놔두질 않는다. 그는 소리를 질러댄다. "여기 아이가 **등유**를 마셨어요! **병원**에 가야 해요!" 신호를 무시하고 달리는 그의 차를 누군가 그의 차를 심하게 들이박았고, 그는 목이 부러진다. 경찰이 현장에 도착해 아이를 병원에 데려간다. 그가 어떻게든 계속해서 등유 얘기를 외친 덕분이다. 하지만 경찰은 아이와 같이 가도록 그를 보내주지는 않는다. 그는 무면허 운전으로 철창에 갇힌다. 사람들이 아이를 병원으로 데려가다가 아이의 무릎에 (현관 앞 시멘트 바닥에서 놀다가 생긴) 상처가 있는 걸 보고는 그와 아이를 떼어놓기로 결정한다. 그가 딸아이를 마지막으로 본 게 7월 6일 복지사무소 엘리베이터 옆에서였다. 아이가 미친 듯이 운다. 그가 말한다. "울지 마, 우리 강아지, 아빠가 언젠가 데리러 갈 거야." 그때를 마지막으로 그는 아이를 만나지 못했고, 이후 지금까지 아이를 찾고 있다.

그 대담 프로그램에서 아버지와 딸이 다시 만난다. 둘이 끌어안고 입을 맞춘다. 그가 딸을 바라본다. 입술이 떨리고 눈물이 줄줄 흘러내린다. 그리고 말한다. "보고 싶었다, 우리 강아지, 너와 같이 살고 싶었어, 나는 늘 네가 보고 싶었어!"

대중이 지켜보는 자리에 끔찍한 현실을 전시하는 건 생각지도 못할 어리석은 짓이지만, 마치 종교적 의례와도 같이 아주 조금씩만 변형되며 반복적으로 시도된다. 어떤 이상적 모델이나 경고 신호가 되기를 의도한 장면들은 아닌 듯하다. 그 장면들은 유령처럼 떠도는 잠재성을 포착한다. 상황이 궤도를 타고 날기 시작한다. 그 장면들은 무언가를 밀어붙이고 있다. '한계를 밀어붙이다'라는 표현은 가볍고 대중적인 문구지만, 그 문구로는 상황을 제대로 담아내지 못할 듯하다.

일상이 덤벼드는 수가 있다

일상이 덤벼드는 수가 있다.

습관에, 자만에, 매일 마주치는 좋거나 나쁜 사회적 접촉에 둥지를 튼 일상은 우리를 뭔가 나쁜 일에 휘말리게 할 수 있다. 아니면 좋은 일에.

일상은 이것으로 시작했다가 완전히 다른 저것으로 홱 바뀔 수 있다.

하나가 다른 하나로 이어진다. 기대는 꺾이거나 아니면 충족된다. 부유하던 평범한 상황이 나빠지거나 아니면 놀랍고 훌륭한 것으로 비상한다. 어느 쪽이든, 상황은 우리가 생각했던 것과 다르게 판명난다.

얘기할 가치가 있는

어느 날 시시의 남편 버드가 집에 오더니 진짜 똑똑한 어떤 녀석이 경제가 파탄 날 거라는 얘기를 하더라고 전한다. 금값이 치솟아 완전히 종류가 다른 돈, '레드 머니•'인가 뭔가를 찍어내야 한다는 얘기다. 버드는 그 말을 돈의 색깔이 빨개진다는 뜻으로 생각하지만, 시시는 그 사람이 어쩐지 공산주의의 화폐를 얘기하는 것 같다고 생각한다. 그녀가 말한다. "하지만 무슨 상관이야? 어쨌든 내 돈은 아무 가치가 없는데." 금의 가치라는 건 전부 상상일 뿐이라고들 한다. 다이아몬드도. 사람들은 그것들이 최고의 투자 대상이라고 하지만, 어쨌든 그녀는 얼마 전 시사 프로그램인 「60분」에서 지르코늄과 다이아몬드도 구별할 줄 모르는 보석상들과 특정 카르텔이 전 세계 다이아몬드 광산을 쥐락펴락한다는 보도를 본 참이었다. "내 운이 그렇지 뭐." 그녀는 생각한다. "늘 내 결혼반지만큼은 믿을 수 있다고 생각했는데."

• 중국 위안화를 의미하는 속어.

정체성 격동

인종주의는 어떤 주제를 구성하는 생생한 바탕이 될 수 있다. 인종주의적 유토피아의 꿈들 역시 그렇다.

여자가 슈퍼마켓에서 마주치는 비백인 사람들이 종종 여자와 딸을 보고 미소를 짓는다. 말도 건넨다. 아기가 너무 귀엽다고들 한다. 갈색 피부의 아기를 데리고 있는 백인 여성이 공개 초대장이라도 되는 양, 보자마자 긴장이 늦춰지나 보다.

반면, 식당이나 수영장에서 마주치는 백인들은 둘에게 악의적인 시선을 던진다. 겉으로 봐서는 누가 그럴지 알 수 없다. 가끔은 힙해 보이는 젊은 여성들이 그런 짓을 한다. '대체 무슨 짓이야?' 또는 '그렇게 하고 공공장소를 당당하게 돌아다니다니, 네가 뭐라도 되는 줄 알아?'라고 심문하는 듯한 완고한 시선이다. 그럴 때면 여자는 몹시 놀란다. 긴장하고 화가 난다. 여자는 맞받아치는 시선으로 그들을 꼼짝 못 하게 한다. '이 사람들은 대체 뭐지?' '자기들이 뭐라도 된다고 생각하는 거야?'

여자는 그들이 무슨 책을 읽는지, 어떤 교회를 다니는지, 정확히 무엇이 그들을, 이런 혼란을 부추기는지 궁금하다.

신도시 특유의 종말론적 세계관

갈보리 채플 교회는 1970년대 예수 운동•의 와중에 등장했다. 이 교회는 기독교 록 페스티벌과 고고장, 사랑을 노래하는 히피 집회, 카페, 파도타기 클럽, 바다 세례식, 환각을 겪는 아이들을 위한 긴급 전화(헤로인 중독 치료 30초 프로그램 포함) 등을 통해 신도들을 끌어모았다. 지금은 극도로 보수적인 종말론적 세계관에 힙 스타일, 아니 그보다는 다문화적 쇼핑몰 스타일을 접합한 신도시형 초대형 교회망으로 변모했다.

갈보리 채플 교회는 '일하는 여성들의 즐거운 생활 성경 공부 모임'과 '남성들을 위한 잠언 교실', '고등학생 자녀를 둔 어머니들의 기도 모임', '새정신 알코올·마약 극복 모임', '독신 모임', '재소자 돕기 모임', '신체 장애인회' 등의 주례 모임을 연다. 이 교회에서 운영하는 서점들에서는 자

• 예수 운동The Jesus Movement은 1960년대 말과 1970년대 초에 걸쳐 미 서부 해안 지역에서 시작되어 북아메리카 전역과 유럽으로 확산된 복음주의 그리스도교 운동이다. 1960년대 히피 문화의 영향을 많이 받았으며, 방언과 같은 초자연적인 경험을 중시했고, 기독교 음악의 발전에 큰 영향을 주었다. 한 시대를 풍미하여 주류 개신교와 가톨릭에서 전향한 신자들이 많았으나 1980년대 말에 교세가 수그러들었다.

유인문주의의 말기적 징후에 관한 책과 기독교 자기계발서들을 추천한다. 세계는 도덕적 타락 추세에 있다. 컴퓨터 게임에 모든 시간을 쏟는 아이들은 더는 깡통 차기와 술래잡기를 하지 않는다. 부모들과 교사들은 이제 이야기꾼이 아니다. 대신에 거대한 미디어 복합체들이 그 역할을 떠맡았다. 한편 목사는 종말의 시기에 기독교인으로 어떻게 살 것인지 실용적인 지침을 내놓는다. 명절 파티에서 비기독교인들과 대화를 나누려 노력하라, 직장 동료들과 점심을 먹거나 저녁 식사에 이웃을 초대하라, 비기독교인 남자들을 초대하여 같이 운동 경기를 관람하라, 운동하러 갈 때나 아이들 행사에서 인맥을 넓히라, 예전에 알던 사람들과 연락하라("하지만 '일부'는 굳이 오랜만에 연락하지 '않는' 편이 나아요, 무슨 '뜻'인지 알죠?").

수요일 밤이면 교회에서 영화를 본다. 기독교적인 공포 영화들에는 워크맨에 빠져 마지막 탑승 안내를 듣지 못하는 바람에 휴거행携擧行 마지막 비행기를 놓치는 10대 청소년들이 나온다. 회사원들은 핸드폰과 노트북 컴퓨터에 매달려 일을 하거나 게임을 하느라 비행기를 놓친다.

목요일 밤에는 '그리스도의 최신 예언 모임'이 있는데, 이 모임에는 교회에서도 가장 극단적인 사람들이 참석하는 듯하다. 연방 정부의 총기 규제와 성 중립 성경, 환경보호

주의, 학교에서의 성교육, 언론을 통한 동성애 확산에는 사악한 힘들이 명백히 드러난다. 거짓 지식 체계가 양산해 온 터무니없는 주장들이 주류 가치와 상식 행세를 하고 있다. 기독교인들은 행간을 읽는 법을 배워야 한다. 컴퓨터는 아내를 '배우자'라 부른다고 알려주면서 베드로와 늑대 이야기는 멸종 위기에 처한 종에 관한 이야기로 분류한다. 홍역을 앓는 사람은 격리시킬 수 있지만, 에이즈를 앓는 사람의 신분을 노출하는 것은 법적으로 금지돼 있다. 총기 규제를 주장하는 멍청이들은 총을 닮은 장난감도 금지하고 싶어 한다. 아내와 큰 소리로 설전을 벌이는 것은 범죄가 됐다. 마약과의 전쟁은 그저 우리를 통제하려는 핑계에 불과하다. 국세청이 불시에 우리의 은행 계좌에 접근할 권한을 갖는다. 사람들이 새로운 광섬유로 인터넷 기간망을 구성하고 있고, 정부는 그걸 통제할 수 없다. 하지만 주께서 곧 임하실 것이니 굳이 세금 같은 걸 낼 필요는 없다.

바디 포 라이프

누구라도 작은 세계에 갇힐 때가 있다. 늦든 이르든, 모두가 그렇다. 무언가 눈에 들어오면 우리는 그것을 만든 조직에 자신이 동참했다는 사실을 알게 된다.

여자는 친구의 조언에 따라 『바디 포 라이프』를 받아들인다. 둘 사이에서 그건 농담이다. 둘은 그걸 자기들의 사이비 종교라 부른다. 하지만 둘은 조금은 극단적인 자기 혁신, 아니 적어도 자기 혁신을 하려는 노력에는 뭔가가 있다는 것도 안다.

『바디 포 라이프』는 어느 보디빌더가 쓴 베스트셀러로, 앞뒤 표지에 광택 나는 '이전/이후' 사진이 실려 있다. "강한 정신과 강한 몸을 만드는 12주 프로그램." 이건 그냥 그 프로그램을 따라가는 문제가 아니라 맥주와 감자튀김을 물리치고 자기 삶을 사랑하기 시작하는 도전이다. 그저 살아남는 것이 아니라 잘 사는 것이다.

여자는 몸에 기름을 바른 근육질 남녀들의 사진에 아무 감흥도 없지만, 이전 사진과 이후 사진을 비교해보는 소소한 놀이는 말 그대로 시선을 사로잡는다. 여자의 시선이 뚱뚱하고 창백한 인물에서 햇볕에 탄 근육질 인물로 건너뛴다.

까꿍 놀이다. 사진 속 인물은 모두 백인이다. 그걸 보고 여자는 라스베이거스에 있을 때 우체국에서, 또는 드라이브인 영화관에서, 또는 새 운전 면허증을 받으려고 줄을 설 때마다 마주치던 인체 전시가 생각난다. 축축한 뱀을 목에 감거나, 목줄을 한 원숭이를 들거나, 소매 없는 성조기 무늬 티셔츠를 입고 파마머리를 한 금발의 반나체 보디빌더들.

친구는 그 사진에 나오는 사람들을 '고기 케이크'라 부른다. 이 모든 일에 어떤 식으로든 계급 문제가 개입된 걸로 보인다(하지만 누구를 붙잡고 물어봐도 하나같이 『바디 포 라이프』에는 다양한 사회 계급 출신의 사람들이 실렸다고 끝까지 주장한다). 여기서 변화하고자 하는 의지와 성공의 열매를 상상하는 게임으로서 보장된 공간인 '주류主流'가 드러난다. 마치 세상의 주변부를 전전하던 사람들이 갑자기 중심부에 설 수 있으며, 자멸적인 꿈들이 살아 있는, 재생산이 가능한 현실이 될 수 있다는 듯하다. 그 사진들을 보다가, 또는 '메이크어위시 재단'에 15달러를 기부하고 받은 자기계발 비디오를 보다가 혁신적인 변화를 경험했다는 증언들도 나온다. 둔한 따분함과 세상에 나 혼자뿐이라는 느낌에서 순식간에 해방되어, 아이스크림과 초콜릿과 감자튀김과 맥주보다 그 12주짜리 프로그램이 더 절실하게 느껴지는 순간이 온다는 것이다.

그런 일이 일어나도 전혀 이상할 건 없다. 열두 단계 프로그램을 통해 정신적 변화가 직접 몸을 관통해 흐르듯이 펼쳐진다. 먼저 스스로 엄격한 질문을 던진 다음 답을 종이에 적는다. 열두 개의 주간 목표를 만들고 매일 아침저녁으로 복기하는데, 진짜 자신감이 생길 때까지 부러 자신에 찬 목소리로 소리 내어 읽는다. 매일 하는 다섯 가지 습관을 만든다. 결심한다. 집중한다. 우리의 발목을 잡는 부정적인 감정들을 내려놓는다. 다시 말해, 앞을 바라보기 시작한다. 12주 도전 프로그램을 받아들이는 이는 누구나 승자다. 자신의 새로운 육체를 흐뭇하게 바라보는 사람들을 상상한다. 그러다 그 이미지가 내가 된다. 나는 절대 다시는 엇나가지 않으리라는 확신이 든다.

여자는 자기계발 산업에 관심이 없는 데다 사실 그 책을 읽지도 않는다. 그냥 이전/이후 사진 놀이를 하고는 곧장 책 마지막에 실린 음식과 운동 도표로 넘어간다. 여자는 이내 결심이 선다. 그 도표들을 복사해 일기처럼 매일 기입할 수 있도록 한다. 허용되는 음식을 기억했다가 사서 쟁여둔다. 매끼 식사를 의례화하고, 지시에 따라 한 주의 일곱 번째 날에는 뭐든 먹고 싶은 대로 기분 좋게 먹는다. 물에 타 먹는 분말 영양식과 에너지 바를 상자 단위로 주문한다. 바나나 스플릿 맛이 나는 초콜릿 영양식과 키 라임 파이 맛이 나는 바닐라 영양식을 시험 삼아 만들어본다. 여자는 큰 그림을 이해한다. 뭔가 차오르는 것을 느끼고 그게 자신의 일부가 되도록 한다. 그러다 보면 어쩔 수 없이 기복을 겪는 시기, '바디 포 라이프'의 불완전한 고치를 드나드는 시기가 온다. 시간이 지나면서 여자는 그 프로그램을 운동하는 법과 먹는 법에 관한 새로운 몇 가지 편견으로 축소한다.

나중에 여자는 채팅 방 수십 개로 구성된 온라인 네트워크인 '바디 포 라이프 커뮤니티 닷컴'을 우연히 발견한다. 몇 곳은 『바디 포 라이프』를 복음으로 내세우는 기독교 단체다. "말씀을 전하라. 그러지 않으면 시들 것이요, (…) 진리를 부여받지 못한 자들은 우리가 발견한 풍성한 삶을 알지 못할 것이니, 삶으로 가는, 자유로운 진짜 삶으로 가는 출구를 알지 못할지니라."

다른 조직들은 지역별로 분류되어 있으며 사진이 첨부된 개인 광고란과 다를 바 없어 보인다.

채팅 방에 등장하는 상황들은 정말 구체적이다. 한 여성이 문 옆에 둔 핼러윈 선물용 사탕 그릇에서 포장지를 뜯고 초콜릿 냄새가 풍긴다고 고백하자 누군가 대문자로 크게 응원한다. **버텨요! 당신은 할 수 있어요!!!** 한 남자가 영양 음료 준비하는 법을 두고 행복한 고민을 한다. "내가 제일 좋아하는 건 초콜릿이고, 영양 음료를 준비할 때는 늘 고무 틀에 얼린 각얼음 세 개를 넣는데, (물 없이) 그것들을 병에 넣은 다음에 물을 붓는 거죠. 물 370ml와 초콜릿 영양식 1cm를 넣은 다음 55초간 섞어요. 스톱워치를 써야 해요! 내가 그래서 마이오플렉스•를 그렇게 좋아하나 봐요. 나는 좀 더 오래 섞어서 우유나 바나나 없이 차게 마셔요."

인간관계가 중요하다. "다들 좋은 아침! 며칠 들어오질 못했네요. 리지, 편두통이 도졌다니 걱정이지만, 멋져요! 짐, 정말 사진이 실물을 못 따라가네요! 앱스, 당신 생각 진짜 마음에 들어요! 정말로, 사람은 생각하는 대로 되는 법이지요. 뎁, 축하해요! 사진도 잘 나오기를 빌어요. 얼른 이후 모습을 보여줘요! 혹시 멍을 가리는 방법을 찾는 사람이 있다면 나한테 연락해요. 난 어디에 부딪힌다는 생각만 해도 멍이 드는 사람이거든요. 다들 조만간 있을 행사에서 보면 좋겠어요!"

다이어트와 후유증, 그에 따른 고통을 겪는 이들을 다독이고 지지해주는 모임들도 있다.

• 미국의 건강 보조 식품 회사인 애보트사에서 만드는 단백질 보충제.

『바디 포 라이프』의 공식적 얼굴은 선언하고 고백하고 고민하고 분출하는 과도한 자기표현으로 이루어져 있다. 몸이 그냥 궤도에 오르기만 하면 그 상태로 쭉 가는 게 아니라 슬럼프에 빠지고 궤도를 이탈하고 그러다가 '바디 포 라이프'적 자아와 다시 만나기 때문이다. 몸은 원하는 것이 있고 원하지 않는 것이 있다. 이걸 하지 않으면 저걸 할 것이다. 몸은 뭔가를 만날 때까지 궤도를 따라가며 계속 자기 길을 모색한다. 언제나 반쯤 형성된 궤도들이 제일 흥미로운 법이다. 몸이 가장 친근하고 낯익고 살아 있다고 느껴질 때가 몸이 부분적으로 실현되지 않은 상태에 있을 때이고 아직 출항하지 않은 때이다. 몸이 몸과 떨어져 있을 때, 몸은 꿈과 현실, 망설임과 나아가고자 하는 바람의 상호 충돌 속에서 약동한다. 몸은 흐름에 동참하고 싶어 한다. 연결되고 싶어 하고 만져지고 싶어 한다. 몸은 준비된 상태에서 근육을 구부리고, 충전된 비밀 배터리처럼 웅웅거리며, 등 쪽의 경련이나 허약한 사지에 스트레스를 기록한다.

덧없이 지나가는 환상들을 활력으로 바꾸라고 말하는 『바디 포 라이프』는 '결정하기'에 관한 것이지만, 결정하기는 그 자체가 놀이하기, 사진 보기, 요리법 따라 하기, 원하는 상태 흉내 내기, 사회적 상상 만들어내기, 거울 보고 혼잣

말하기에 관한 것이다. 급격히 증식하는 '몸 문화'의 중심에는 공포와 쾌락과 과시가 생산적인, 인생을 걸 만한 열정이 될 수 있다는 빤한 약속이 있다. 하지만 궤도에 오르는 건 단순하고 냉정한 일생의 선택이 아니라, 자칫하다간 익숙한 질척거림으로 아니면 강박적인 다이어트 같은 '유행성 의지력'으로 굴러떨어질 수 있는 줄타기에 가깝다.[13] 그리고 어떤 결정을 내리든, 몸은 원래의 평범한 활력으로 돌아간다.

몸이 격동한다

몸이 격동한다. 필요에 따라, 아니면 움직이는 걸 너무 좋아해서.
이런저런 생활양식과 산업들이 몸을 둘러싸고 맥동한다. 무엇이 몸이 스스로를 완벽함의 목표로 내주는 방식을 만드는지 궁리하면서.
몸이 층층이 쌓인 감각적인 충격들로부터 제 물질을 구축하는 방식.
몸이 흐름 속에 잠기고 또 뜬 동시에 휩쓸려가는 방식. 몸은 완고하거나 낯선 힘들에 맞서 긴장하고, 또는 하류로 떠돌고, 눈은 머리 위 물기 머금은 구름 위에서 단련된다.
몸 안에 깃든 작인은 축어적이고 내재적이며 실험적이다.
시작하자마자 탈선하거나 벽에 부딪히고는 구멍에 숨고, 덩치를 키우고, 자신을 감싸 보호한다. 그것은 스스로 회복하거나 베일로 자신을 감싸고, 땀 냄새나 값싼 향수 냄새나 장작불 연기가 스민 모직물 냄새가 나는 닳아빠진 옷가지들로 둥지를 지을지도 모른다. 몸이 처지면, 내부 무게에 맞추기 위해 달고 기름진 것들을 요구할 수도 있고, 아니면 정신을 차리도록 소금과 카페인을 요구할 수도 있다.

몸은 활기와 침잠과 고립과 고갈과 회복 상태의 자신을 안다.

몸은 공기 중에 떠도는 뭔가 달콤하거나 불쾌한 냄새에 놀랄 수 있고, 또는 너무 빠른 움직임에, 약간 어긋난 몸짓에 놀랄 수 있다.

몸은 묵직해질 수도 있는데, 선가禪家에서 말하는 공空의 태도로 자신의 형태를 관조한다. 새로 사귄 연인으로서, 몸은 드러난 흉터들을 맹목적으로 사랑하고 주근깨와 사마귀와 귓불에 관심을 기울인다. 걱정스러운 노화의 징표 중 하나로서, 몸은 욕실 거울에 비치는 전에 없던 턱살과 세어가는 머리털과 얼룩덜룩한 피부의 모습에 이끌린다.

몸은 영속하는 자기 인식의 장이자 늘 우리를 배신하는 물체이다. 몸은 구원을 꿈꾸지만 동시에 그런 꿈을 꿀 만큼 어리석지도 않다.

몸은 성공한 마주침을 사랑하고 두려워한다. 몸은 다른 데서 빌려 온 친밀함 또는 모종의 계획을 이해한다.

꿈꾸는 듯한 몸의 격동을 둘러싸고 힘줄이나 지방처럼 꾸며낸 삶이 겹겹이 형성된다.

여자는 소호 구겐하임 미술관에서 열린 로리 앤더슨•의 전시회에 왔다. 전시회 제목은 '당신의 재산, 1달러'다. 어둑한 한구석에 걸상이 있고 거기에 하얀 플라스틱 올빼미가 앉아 있다. 올빼미는 시시한 조언과 통렬한 논평과 두서없는 광고 문구 들을 끝없이 토해낸다. 기계적이지만 감각에 호소하는 그 거친 목소리가 자꾸만 웡웡거려, 여자는 문방구 생일 카드 같은 싸구려 표현의 홍수 속에 꼼짝없이 사로잡힌다. 하지만 어쩐지 올빼미의 단순한 반복은 구호와 놀란 외침들로 가득한 일상의 배경 소음을 강화하는 동시에 무디게 하고, 거기에다 묘하게 묵직한 감각적 질감을 더한다.

그러다 올빼미가 문득 어떤 말을 하는데, 여자는 자신이 무의식적으로 혼잣말을 한 것이 틀림없다고 단정한다. "누군가의 비명이 한 귀로 들어와 한 귀로 나갈 때도 있지만, 어떤 때는 곧장 뇌 한가운데로 와서 박힌다."

• 로리 앤더슨(1947~)은 미국의 아방가르드 예술가이자 작곡가, 음악가, 영화감독이다. 퍼포먼스와 대중음악, 멀티미디어에 이르는 폭넓은 활동을 하고 있다.

누군가의 비명이 때로는……

기차가 밤의 정적을 깨며 울부짖는다. 여자는 종종 그 소리에 잠이 깬다. 때로 그 소리는 여자의 잠에 깃들었다가 동틀 녘에 손에 잡힐 듯한 불안으로 다시 나타난다. 여자는 어떤 일이 있었는지 또는 어떤 일이 일어나려는지 알아보려 꿈에 젖은 뇌를 샅샅이 살핀다. 아침 공기는 금귤나무와 미모사 꽃향기로 가득하고, 산비둘기와 오래전에 새장에서 탈출해 지금은 숲에서 번식하는 애완용 앵무새 소리가 사방을 채운다.

여자는 기차가 왜 우는지 안다. 대니의 친구 바비가 어느 날 밤에 기찻길에서 정신을 잃었다가 목숨마저 잃었다. 그와 아내는 강변에서 열린 무료 음악회에 갔었다. 노숙인들에게는 감동적인 행사다. 우아한 순간들이 있다. 춤의 한 동작, 환한 웃음, 갑작스럽게 터져 나오는 관대함, 돌연히 번듯하게 집이 있는 이들과 공적인 무대에서 어깨를 나란히 하는, 심지어 무언가 공지하거나 길을 알려주거나 도움을 주는 잔치의 주인 역할을 담당하게 된 최하층민들의 얼떨떨한 관대함. 충돌도 있다. 술에 취해 무대 앞에 쓰러지는 사람들, 구토, 오늘 밤의 잔치를 즐기기엔 너무 아파 몸을 움츠린 창백한 남자. 곳곳에서 싸움이 벌어진다.

그날 밤 바비는 아내와 싸우고 혼자 그곳을 벗어나 기찻길을 따라 야영지로 돌아왔다. 그러고는, 대니의 말에 따르면, 술에 푹 절어서는 철로에 홀로 앉아 잠시 쉬면서 생각을 정리했다. 바비는 기차의 낭만을 아주 좋아했다. 멀리서 들리는 높고 외로운 소리, 철로에 1페니짜리 동전을 올려두던 어린 시절의 추억, 이동과 그 순전한 힘. 그는 누워서 눈을 감았다. 그러다 긴 기차가 지나가는 순간에 잠에서 깨어 고개를 들었다. 고개를 들지만 않았어도 기차가 그냥 지나갔을 거라고 사람들은 말한다. 하지만 기차가 바로 위로 지나가는데 누가 그냥 잠들어 있을 수 있겠는가?

요즘 여자는 가끔 철도 건널목에 서서 기차가 지나가기를 기다린다. 하루는 화물 차량이 멕시코 이주민을 잔뜩 싣고서 천천히 표류하듯 지나간다. 이주민들은 자기들 쪽에서 미국을 환영하는 행사라도 치르는 듯이 웃으며 손을 흔든다. 또 어느 날 여자는 웨스트버지니아주 어느 광산촌에 대한 기억을 떠올린다. 거기서는 석탄을 실은 기차가 마을로 통하는 유일한 도로를 몇 시간씩 막기 일쑤였다. 그럴 때마다 사람들은 트럭에서 내려 기대 선 채 얘기를 나누곤 했다. 한번은 언제고 저놈의 기차를 다이너마이트 무더기로 두 동강을 내서 다시는 길을 막지 못하게 하자는 얘기가 은밀히 돌기도 했다.

기차로 인해 절박한 희망이 섞인 비참한 이야기가 생겨난다. 열광적으로 손을 흔드는 새 이주민들이, 광산촌에서 제기된 폭파 요구가, 철길에 누워 자려던 바비의 무엇이 삶과 꿈 사이에서 물결치는 도취적인 자신감을 내비친다. 그러고 보면 기차는 진지한 약속과 위협을 촉발하는가 하면, 세상에 포용되었다는 설부른 백일몽을 유발하는 듯하다.

이 백일몽은, 구조적인 권리 박탈에 대항하는 유일한 해독제라곤 말 그대로 자신의 생명력과 이동성을 높이는 방법밖에 없는 주체가 꾸는 백일몽이다. 자기 자리와 운을 빼앗겨서, 또는 진퇴양난의 상황에 빠져 슬퍼하는 정서에서 비롯한 극도의 취약성을 짊어진 주체, 취약한 몸 주위로 성채 쌓듯 자원을 모으고 자기계발에 몰두하는 주류들의 전략을 취할 수 없으면서도 삶과 연결되기 위해 열심히 움직이는 주체. 어떤 힘에 말 그대로 감명받아 그 힘을 떠맡으려는 주체, 그 힘을 자신에게 관통시켜 소유하려는 주체, 잠깐이라도 자신을 그 힘의 대상으로 만들려고 애쓰는 주체. 편협한 시각을 가져야만 세상이 자신을 포용해주리라 믿을 수 있고, 그런 시각 갖기가 자신에게는 이루기 힘든 희망이 되는 주체.[14]

이런 종류의 일은 늘 생긴다. 순전한 강도를 안고 시작해 아직은 없지만 생길지도 모를 '우리'로 들어가는 길을 찾으려는 실험이다. 뭐라도 좋은 결과가 나올 것 같지 않다는 사실에도 '불구하고'라기보다는 바로 그 사실 때문에 사람들에게 닥치는 일들에 숨은 잠재성을 상상하게 되는 재능이다.

극도로 취약한 주체가 가능한 삶들의 꿈을 실제로 걸을 수 있는 길이 될 만큼 실재적인 일상적 정동으로 변화시키는 것일까.

비참하고 살 가치가 없는 몸들이라고 해서 그냥 고려할 가치가 없는 '그 외'가 되지는 않는다. 그들은 필연과 우연 속에서 작동하는 잠재성으로부터 생명력을 얻으며 계속 살아간다.

치명적이고 달콤하고 슬픈 것들

벼랑 끝에 선 듯이 위험천만하게 사는 사람들은 어떤 광기를 주장한다. 다른 사람들에게 광기란 굶주림을 면하려고 제자리 뛰기를 하며 악착같이 일하는 것이다.

자유분방한 이들은 자신들이 아주 개방적이며 그 결과로 평생 고통받으며 산다고 말한다. 그들은 늘 그 모양 그 꼴로 스스로를 세상에 굴러다니는 온갖 힘의 시험장으로 쓰는 듯하다.

그들은 충돌과 도망으로 정체성을 쌓는다. 또 뭔가 했다 하면 끝을 볼 때까지 밀어붙인다.

대니는 노스캐롤라이나주 시골에서 자랐는데, 그곳은 미래를 깡그리 무시하고 배짱과 잔재주만으로 미친 짓을 벌인 젊은이가 끔찍한 명성을 얻은 대가로 정식 이름으로 불리는 곳이었다. 거기서 대니는 '대니 웹'이라는 정식 이름으로 불렸다. 대니는 폭풍우가 치는 날 술에 취해 전신주 꼭대기까지 기어올라 두 팔을 벌리고 아슬아슬하게 서 있다가 떨어졌다. 또 맥주 가게가 문을 닫기 전에 도착하려고 작물을 깔아뭉개며 길이 아닌 담배 밭을 질러가는 바람에, 몇 킬로미터에 이르는 직선 관통로를 내기도 했다. 그러고 나서도 필요할 때마다 그 길을 이용했는데, 밭 주인이 총을 쏘려고 한 뒤에도 멈추지 않았다.

대니에겐 무용담이 많다. 그가 벌인 미친 듯한, 일시적일 뿐인 승리와 격렬한 충돌로 점철된 이야기들이다. 한편으로는 자신의 몸을 던져서라도 어떻게든 세상을 근본적으로 바꿔보려는 거친 몸짓으로 가득한 이야기들이기도 하다.

어느 크리스마스에 친구 몇 명과 종일 술을 진탕 마시다가 거실에 세워놓은 실물 크기의 나무 산타클로스를 공격하기로 의견이 모아졌다. 몇 차례 공격한 뒤에, 대니가 도축용 칼을 빼 들고 거실을 가로질러 뛰어가 나무 산타클로스를 찔렀다. 순간 손이 날 위로 미끄러지면서 손가락 두 개가 뼈가 보일 정도로 베이고 하나는 잘려서 덜렁덜렁한 상태가 되었다. 하지만 이날의 클라이맥스는 그들이 병원에 가려고 한밤중에 낡은 트럭을 타고 고속도로를 질주하다가 경찰의 제지를 받은 순간이다. 그들이 여전히 취한 상태로 응급 상황이라 설명하지만, 경찰은 트럭에서 내리라고 명령한다. 대니가 말한다. "안 돼요, 진짜로요." 그러고는 상처를 감싼 수건을 펼친다. 피가 뿜어져 나와 심장이 뛸 때마다 온 차창에 튄다. 경찰의 얼굴에도 피가 조금 튀었다. 경찰이 하얗게 질리더니 손을 흔들며 소리친다. "가!

가!"

대니와 친구들은 시골이나 '수용소'에서 시끌벅적한 파티를 벌이곤 했다. 수용소는 마침내 그가 정착한 곳으로, 기찻길 옆에 자리한 가혹하고도 달콤한 유토피아 겸 지옥이다. 그들은 밤새도록 음악을 연주하고, 음악이 그들의 몸에서 공명한다. 매트는 바이올린이 되고, 대니는 기타가 되고, 리베카는 만돌린이 된다. 그들은 모닥불을 피우고 갈비를 굽고 이야기를 나눈다.

때로는 텔레비전을 때려 부숴 조각조각 모닥불에 던져 넣고 춤을 추는 등, 아메리칸드림을 향한 공격을 거행한다.

그들은 유기된 공간들을 품는다. 불확정성의 구역을 점령한다. 또 요리조리 잘 빠져나간다.

그들은 빚과 선물과 감정과 심한 곤란의 주고받음을 통해 산출되는 순전한 협동의 삶을 산다. 한 명이 일자리를 찾으면 다른 이들에게 번 돈을 나눠준다. 일을 할 때는 열심히 신속하게 한다. 울타리와 가구와 오두막을 만들고, 거대한 나무들을 자르고, 건식 조경법으로 꽃밭을 꾸미고, 땔나무를 운반하고, 전기선과 배관을 깐다. 그들은 큰 일거리도 채비를 갖춘 다음 뚝딱 해치운다. 그러고는 땀이 채 가시지 않은 고단하고도 뿌듯한 몸으로 잔치를 벌인다. 일이 없을 때는 자기들 오두막 옆 벌판에 만들어놓은 거실에서 노닥거리며 긴 하루를 보낸다. 평화롭거나 무력한 절망의 나날이다. 녹슨 금속과 오래된 나무로 예술 프로젝트들을 벌인다. 연애도 한다. 분노와 싸움과 중독과 굶주림과 병과 후회와 자살이 일어난다. 가끔 평정을 잃는 이들이 있다. 욕망을 현실과 연결하지 못하고 부유하는 이들이 있다. 슬프고 지친 공허함으로 며칠을, 또는 몇 주, 몇 달, 몇 년을 보낸다. 보수적인 대통령들을 암살하거나 은행을 터는 일에 관한, 죽을 때 부자 몇 명을 함께 데려가는 일에 관한 말도 안 되는 헛소리들이 오간다.

그들은 자신의 발목을 잡고 고립시키는 온갖 종류의 압박이 가득한 일상에서 '무언가'를 억지로 떼어내려는 투쟁의 리듬 속에서 산다. 대개는 진짜 의지에 따른 행동이라기보다는 주체를 전개인적前個人的• 감정 구역으로 끌고 오는 원상복구 행위undoing나 적극적 돌연변이에 더 가깝다.

어느 추수감사절에 대니는 붐비는 거리에서 몇 시간 동안 행인들에게 꽃을 나눠주었다. 그는 마치 세상에 존재하는 접촉 지대의 엔진에 다시 불을 붙이려 애쓰는 것 같았다.

한번은 대니가 보훈병원 장기 재활 시설 환자들이 자유로

• 들뢰즈 철학에서 초월적 존재자로서의 나를 전제하지 않는 의식의 상태를 이른다.

이 커피를 마시며 모임을 할 수 있도록 업소용 커피 머신을 설치해주려 했다. 여러 사업체에 문의를 하다가 기꺼이 도와주겠다고 나서는 가르시아를 만났다. 가르시아가 버너 세 개짜리 거대한 업소용 중고 스테인리스 커피 메이커를 기증했다. 대니가 트럭을 빌려서 그 커피 메이커를 싣고 140킬로미터를 달려와 병원에 설치했다. 수많은 서류 작업이 있었다. 2주 후에 대니는 커피 메이커가 잘 작동하는지 알아보려 전화를 걸었다. 그러자 직원이 기계가 중고라서 환자들이 사용하지 못하게 했다고 답했다. 그가 말했다. 음, 환자들이 쓸 수 없다면 제가 가져와야겠네요. 그러고는 새 커피 메이커를 기증해줄 사람을 찾아 다시 전화를 돌리기 시작했다. 그리고 가르시아에게 상황을 조심스럽게 알렸다. 이는 알폰소 링기스가 '신뢰'라고 부르는 종류의 일이다. "신뢰는 연장된 확신과 개연성의 지도에 난 갈라진 틈, 잘린 자국이다. 의심과 신중함의 결합을 깨는 힘은 치솟음이고 탄생이고 시작이다. 그건 자신만의 운동량을 가지고 있으며 자신을 발판으로 삼는다. (…) 사람의 마음을 부풀리고 그 길에 사람의 마음을 띄워주는 수문에서 풀려난 강물처럼. (…) (누군가를) 신뢰했다는 것은 (…) 아직 더 많이 신뢰해야 하는 것이다. 일단 신뢰가 정착되면, 신뢰는 스스로를 만들어낸다."[15]

'너무 개방적인' 상태로 사는 이들은 때로 세상의 모든 선과 악의 모습을 띨 수 있다. 하지만 혼돈이나 순수한 무의 상태는 아니다. 그보다는 시작하고 불러내고 유발하고 자극하는 일에 가깝다. 그냥 어떻게 되는지 한번 보려는 것이다. 별일이 없다고 해도 말이다.

생명력

만물의 시작의 격동. 갈라지며 움트는 낟알 같은, 쪼개짐. 깨짐. 번득임.

내구력. 생존하고 성장할 수 있음이라는 자산.

오스틴마마 닷컴AustinMama.com•은 수상 경력에 빛나는 인터넷 잡지로, 신을 두려워하지 않는 열심히 일하는 어머니들을 위한 매체다. 이 사이트에 실린 그림과 시와 기사들은 정서적 임무로서의 양육을 수행하며 '좋은' 양육과 '나쁜' 양육이라는 관념적인 기준들로는 예측하기 어려운 장소와 형태로 사람들을 이끈다.

오스틴마마 닷컴은 재미있고 친근하다. 어머니의 날 같은 행사와 모임을 후원하기도 한다. 예를 들어 어머니의 날에 어느 힙한 가게 주차장에 간이 의자를 놓고 둘러앉아서 칵테일을 마시며 영화 「존경하는 어머니」를 감상하는 이벤트가 있다.

논의가 정체성 문제들로 흘러간다. '엄마로 사는 것'이 어떤 것인지 이름을 붙이고 설명하는 문제다. 하지만 그러다

• 현재 이 사이트는 폐쇄되었다.

가 '모성'을 세세한 유사성과 차이점(공통의 독서 취향, 기존 모성 문화의 규범과 두는 거리, 인내심이나 분노 성향 등)을 기준으로 나누게 된다. 다음으로는 희망적인 사례가 제시되고, 세상을 관통해 흐르는 뭔가 거대한 것에 모든 것이 다 연결되어 있다는 느낌이 전달되고, 논의는 보다 느슨하고 감상적인 '어머니다운' 마무리를 향해 흘러간다. 아니면 미칠 듯한 우울감이나 소진으로.

오스틴마마 닷컴의 내용은 다방면에 걸쳐 있다. 어머니의 나라에서 벌어지는 거친 모험들(밤새도록 엄마의 몸에다 토해대는 아이들, 아이들의 변덕 탓에 갑자기 나선 자동차 여행)에서부터, 반어적 느낌이 없진 않지만, '어머니'라는 팻말 밑에 끌어모은 이런저런 영감을 고취하는 지혜의 말씀들까지 아우른다. 예를 들자면, 누군가 생명력에 관한 마사 그레이엄의 말을 인용한 적이 있다. "우리를 통해 해석되어 행동으로 드러나는 생명력이, 생명의 힘이, 에너지가, 태동이 있고, 세상에 당신은 언제나 하나밖에 없으므로, 이 표현은 유일하다. (…) 이것이 얼마나 좋은지 판단하는 건 우리가 할 일이 아니고, 얼마나 가치 있는지, 다른 표현들과 어떻게 비교되는지 판단하는 것도 우리 일이 아니다. (…) 우리는 심지어 우리나 우리의 작품을 믿을 필요도 없다. 우리는 계속 열려 있어야 하고 우리에게 동기를 주는 충동들을 곧바로 알아채야 한다. (…) 언제든 뭐든 만족은 없다. 그저 기묘하고 신성한 불만이, 계속해서 우리를 행진하게 하고 살아 있도록 하는 축복받은 불안이 있을 뿐이다."[16]

소방관들

9.11 테러 이후 소방관이라는 상징은 극히 중요해졌다. 소방관들의 몸이 그 부담을 짊어졌다. 소방대원들은 선물과 편지에 파묻혔다. 그들은 '고맙습니다, 아메리카' 오토바이 순회 여행에 나섰고, 그들을 보려고 쇼핑몰과 주차장에 여자들이 구름처럼 몰렸다. 소방관들은 이혼과 마약과 자살을 겪기도 했다. 자기 아내를 떠나 사망한 동료의 아내와 결혼한 대원들도 있다. 소방관들은 외상후 스트레스 장애와 세계무역센터 증후군을 겪었다. 그들은 신화처럼 떠받들어지는 상황에서 받는 스트레스에 대해 불평했다. 자신들은 그저 자기 일을 하고 있을 뿐이라고 했다. 어떤 소방관은 21층에서 내려온 철수 명령을 받고서도 동료 대원들과 함께 사람들의 대피를 도우며 30분을 더 그곳 로비에 머물다가 건물이 붕괴하는 소리를 듣고서야 밖으로 뛰쳐나왔다고 했다. 30초 후에 건물은 완전히 무너졌다. 그는 끔찍했다고, 사람들이 우수수 떨어져 내렸다고 말했다. 그는 그 로비에 있던 사람 중 생존자가 더 있는지 알지 못했다. 그날 자신이 구한 유일한 사람은 바로 자신이었고, 미친 듯이 도망쳤기 때문에 그럴 수 있었다고 그는 말했다.

죽음 관찰

가끔 죽음이 다가오는 것이 보일 때가 있다. 살과 뼈가 서글프게 헐거워진다. 몸이 뭘 뒤집어쓴 듯 희미하게 반짝인다. 에너지가 그 안에서 아직 진동하고 움직이고는 있지만 빠져나가고 있는 것처럼.

어느 날 여자의 아버지가 얘기할 게 있다고 한다. 아버지는 일흔셋이고 여전히 일을 하고 있다. 그는 지난 몇 년 동안 은퇴에 대비해 수입 전부를 주식에 투자해왔는데, 그 해 주식 시장이 크게 성장했다. 갑자기 돈이 생겼다! 그에게앞날을 미리 감지하는 특별한 재능이 숨어 있었나 보다. 줄곧 주식 채널을 시청하던 그는 위험성이 높은 기회들을 잡았다. (반면에 여자의 어머니는 남편이 한두 차례 보기 좋게 실패했던 경우를 기억한다. 어머니는 그가 주식에 푹 빠져서 가진 걸 다 잃을까 봐 걱정이다.)

이제 돈이 있다! 여자는 이 소식에 별 반응을 보이지 않는다. 무슨 말을 해야 할지도 모르겠고, 이때가 축하와 작별 인사를 동시에 나눠야 할 순간이라는 걸 미처 알지 못했기 때문이다.

여자의 아버지가 마침내 서류를 다 정리했다고 말한다. 신탁 관련 일이었다. 그는 요 며칠 좀 피곤하다고 말한다. 그러고는 그 서글픈 헐거워짐이 찾아온다. 갑자기 그의 몸이 작아지고 느슨해진다. 마치 물을 통해 보는 것처럼 흐릿해진 듯도 싶다. 여자는 고개를 저어보고 방에 조명을 더 밝혀야겠다고 생각한다. 눈에 뭔가 이상이 생긴 것 같다.

다음 날 여자의 아버지가 크리스마스이브 파티를 늦게까지 즐긴 후에 거실 접이식 소파에서 잠을 자다 죽는다.

온 세상에 장막이 드리워진다. 엄청난 눈보라가 닥쳐 아버지가 사랑했던 산에 있던 나무들이 반이나 죽는다. 이웃 남자들이 온 산의 나무가 순식간에 번지는 불에 탁탁 꺾여 나가는 모습을 보니 베트남에서 겪은 적의 포격이 생각난다고 중얼거린다.

나중에 여자는 술을 다시 끊은 지 얼마 안 된 친구를 찾아간다. 그는 상체를 푹 수그린 채 낡은 소파 끝에 앉아 있다. 이번에는 다시 시작하지 못할 것 같다고 그가 말한다. 그러고는 그 헐거워짐이 찾아온다. 그의 몸 가장자리가 흐릿해진다. 갑자기 몸에서 수분의 반이 쭉 빠져나간 듯이 그가 소파에 허물어진다.

둘은 오랫동안 가만히 앉아 있는다. 그러다 그가 눈을 감고 여자는 창밖을 바라본다.

다음 날 그가 돌아온다. 처량하고 겁먹은 모습으로. 하지만 그 헐거워짐은 왔다가 갔다.

국경 이야기 1

여자는 어느 날 누에보라레도•로 통하는 다리를 걸어서 건너다가 그곳 국경에서 본 이상하리만치 생생한 장면을 기억한다. 당시 여자는 다리 전체에 철조망이 쳐지고, 국경을 넘을 때에는 퉁명스러운 검문이 있으리라 예상했었다. 그런데 태연히 강가에서 빨래를 하는 젊은 부부와 아이들을 보고 놀란 것이었다. 남자가 물로 뛰어들었다. 그는 강바닥까지 잠수해서 미국 쪽을 향해 강을 반이나 건너와서야 방향을 틀었다. 강물이 햇빛을 받아 반짝거렸다. 산들바람이 불어와 강둑의 들쭉날쭉한 관목에 널어놓은 빨래를 말렸다.

그러다 강둑에 서른 명쯤 되는 남자들이 어떤 한 사람을 반원 꼴로 에워싸고 서 있는 게 보였다. 가운데 선 남자가 환호하고 손뼉을 치면서 설교하기 시작했다. 다른 사람들도 동참해서 함께 노래를 부르기 시작했다. 무슨 내용인지 잘 들리지는 않았지만 분명 영감을 주는 노래였다.

• 멕시코 도시로, 폭이 좁은 리오그란데강을 끼고 미국 텍사스주 러레이도와 마주하고 있다. 리오그란데강이 국경 역할을 한다.

다리를 건너 국경을 넘으면서 내려다본 장면들이 다 신기루 같았다. 하지만 생생하기도 했다.

텍사스주 서부 작은 마을 마르파에는 목장주들(대부분 백인)과 가난한 멕시코계 미국인 농업 노동자들, 예술가들, 국경 경비대가 거주하고 있다. 여자가 어느 멕시코 음식점에 앉아 나이 든 목장주 두 부부가 목장 문제를 두고 이야기하는 소리를 듣는데, 국경 경비대원 세 명이 들어와 옆 탁자에 앉는다. 세 남자가 날마다 순찰하는, 길게 뻗은 황량한 사막에 관해서는 전국적으로 이런 이야기들이 알려져 있다. 이주민들이 국경을 넘어 미국으로 들어오려고 그 사막을 건너다 갈증으로 죽는다는 것. 하지만 점심시간 내내 그 남자들은 순찰을 하다가 야생 동물을 구조한 얘기를 나눈다. 달콤한 속죄의 이야기들이다. 상세하고 때 묻지 않은 이야기들. 처음에 여자는 그게 그 남자들이 하는 일을 가리는 모종의 위장술이라고 생각한다. 그들이 국경을 경비하는 하루 동안 해야 하고 보아야 하는 폭력적인 일들의 표면에 살짝 덧씌운, 말도 안 되는 위장. 그러다 여자는 그들이 바로 그날 아니면 불과 며칠 전에 구조한 동물 이야기를 하고 있다는 사실을 알아차린다. 실제로 동물을 구조 하느라 하루 중 많은 시간을 할애하는 듯 보인다. 구조된 동물을 돌보는 일을 삶의 중심으로 삼은 괴벽스러운 인물들이 마르파에 있다는 건 안다. 주로 거북 종류를 보호한다고 해서 '거북남'으로 불리는 인물과 주로 맷과 동물들을 돌본다고 해서 '매녀'로 불리는 인물이 있고, 그 이외에도 분명 더 있을 터이다. 그런 사람들의 트레일러하우스와 마당과 머릿속은 저마다 돌보는 다친 동물들로 미어터질 지경이다. 그리고 야생 동물을 구조하는 국경 경비대원들 이야기는 수없이 방송된 '잔인한 사건들로 가득한 군사화된 국경'이라는 이미지에 기묘하고도 단순한 과잉 이미지를 또 하나 더한다.

가만히 지켜보기

9.11 테러 때 여자는 뉴멕시코주 산타페에 살고 있었다. 텔레비전에서는 모든 것이 변했다고 말했다. 하지만 여자가 보기에는 그보다는 무언가 오랫동안 쌓여온 것이 자리를 딱 잡은 듯했다. 일상에 미친 충격이 전혀 새로운 것 같지 않았다. 잠을 자다 느닷없이 깨었지만, 이미 자다 깨다 하던 참이었다고나 할까. 그 뒤로 반응이랍시고 이중의 목적을 띤 묵직한 논평들과 성급한 대응들이 쏟아졌다. 그리고 무고한 잠으로 회귀하는 꿈들이 등장했다. 모두가 신경이 바짝 곤두섰다. 하지만 부력이 있는 것이 해변에 갇혔을 때는 바닥을 흐르는 저류가 있는 법이다.

여자는 동네 커피숍에 가서 국가적 '우리'인 친근한 대중에 섞여 낯선 이들과 어깨를 스치며 신문을 샀다. 선명한 노란색 데이지와 푸른 과꽃에 눈이 시렸고, 윙윙거리는 귓속 소음을 배경으로 보이는 동네의 정물들은 흐릿했다. 커피숍에 있는 포동포동한 사람들이 한층 더 상냥해 보였다. 눈은 크고 둥그렇고, 뺨은 부풀어 분홍색이었다.

여자는 방송에 매달렸다. 하지만 끊임없이 방송을 시청하다 보니 그게 어느덧 강박이 되어 여자에게 그늘을 드리웠다. 꿈속에서 여자는 넓은 벌판에서 친구와 함께 싸우는 병사였다. 적군이 갑자기 친구의 목을 쳤다. 그 순간을 강조하듯이 꿈에서 모든 동작이 멈추었다. 주의! 친구의 몸뚱이는 벌판에 서 있고, 옆에는 흡사 땅에서 자란 호박처럼 머리통이 떨어져 있었다. 머리통에 달린 눈이 놀라고 당황해서 이리저리 눈동자를 굴렸다.

여자는 당일치기 여행으로 인디언 마을 타오스푸에블로에 가서 성인의 날을 기념하는 연례행사를 구경한다. 들판에 가득한 키 큰 풀들이 산들바람에 가볍게 흔들렸다. 푸른 산맥을 배경으로 개와 말들이 고요한 자세로 서 있었다. 수많은 방문객이 싱글거리며 마을을 누볐다. 허리에 천을 두르고 몸에 물감을 칠한 원주민 남자들이 이리저리 돌아다니며 원주민 행상들이 벌여놓은 난전에서 물건들을 낚아챘다. 그러더니 집 안으로 뛰어 들어가 아기들을 납치해서는 비명을 지르는 아기들을 차가운 강물에 담가 이리저리 흔들었다. 그들은 양동이로 물을 퍼서 구경꾼들에게 퍼부었다. 그런 다음부터 구경꾼들은 그들이 다가올 때마다 미친 듯이 낄낄거리면서도 시선을 피한 채 흠칫흠칫 뒷걸음질해 군중 속에 숨곤했다. 정확하게 무슨 일인지 알 필요가 없다는 사실이 기분 좋았다. 그건 비밀이었고, 남의 일이니 상관도 없었다.

의례를 위해 그려놓은 원 안에서 부족의 종교 지도자들이 대기 중이었다. 폭풍이 불기 시작했다. 천둥과 번개가 치고, 차가운 비와 함께 매서운 바람이 불었다. 건장한 남자 둘이 원 한가운데 세워진 18미터 높이의 기둥에 올랐다. 기둥 꼭대기에는 도살된 양 한 마리와 공물이 가득 든 화려한 색깔의 커다란 포대 두 개가 있었다. 한 남자가 아슬아슬하게 꼭대기에 서서는 허리춤에 찔러뒀던 성조기를 꺼내 번쩍이는 번개를 배경으로 한참을 치켜들고 서 있었다. 놀라운 장면이었다. 그러다 그가 성조기를 떨어트렸다. 바람에 날린 깃발이 땅에 닿기 전에 종교 지도자 한 사람이 낚아챘다. 이 모든 일이 무엇을 '의미'하는지 누가 알까마는, 그 자체로 하나의 사건임은 분명했다.

문득 그곳에 머무르는 환상이 그녀의 머리를 스쳤다. 그 장소가 중요하게 여기는 뭔가가 되는 환상 말이다. 잠재성을 띤 수수께끼였다.

다트 던지기 놀이

몇 주 뒤에 여자는 헤메즈푸에블로 인디언 마을에서 열리는 성대한 댄스 페스티벌에 갔다. 광장으로 통하는 입구에 풍파에 시달린 듯한 백인 남자 세 명이 오사마 빈 라덴 다트 판을 벌여놓고 10대 원주민 소녀들을 상대로 빈 라덴의 얼굴에 다트를 던질 기회를 팔고 있었다. 다트 세 개에 2달러. 그들이 소리쳤다. "모두가 승자!" 그들은 성조기를 나눠주기도 했다.

여자는 지켜보았다. 그들은 여자가 지켜보는 걸 지켜보았다. 그러다 여자가 이게 다 뭘 하려는 건지 물어보려고 가만히 그들에게 다가가기 시작했다. 그들이 말썽에는 익숙하다는 듯이 얼굴을 찡그렸다. 여자는 질문을 하려다 말고 살그머니 방향을 틀어, 한꺼번에 덮치는 여러 가지 생각으로 어수선한 마음을 품고 자리를 옮겼다.

일상의 모호함

일상은 상상되어야 하고 살아져야 한다.
일상은 또 감각적 연결이다. 도약이다.
그리고 단단하고 죽은 듯 보이는 사물들을 가로지르는 강도强度의 움직임 안에서 일어나는 끌림과 감화의 세계다.
여자는 아주 이른 아침에 아리아나를 데리고 상상력을 펼치며 동네를 산책한다.
앞마당들은 동 트기 전의 시간에 취약하다.
어느 집 앞마당에서 안개가 피어오른다. 그 마당에는 우스꽝스러우면서도 무섭게 생긴, 시멘트로 만든 거대 토끼와 괴물 조각상이 잔뜩 있다. 그 집 사람들은 대체 무슨 생각으로 저 조각상들을 가져다 놓았을까? 조각상들 둘레에는 흉물스러운 알루미늄 울타리를 쳐놓았다. 도둑이라도 막으려는 걸까? 아니면 뭔가 다른 이유가?
길을 따라 올라가니 어떤 나무에 커다란 플라스틱 공이 끼어 있다.
새들이 울기 시작한다.
아리아나가 관목에 핀 꽃들을 잡아 뜯어서 제 무릎에 떨어뜨린다.

일상이 지닌 모호함 또는 미완의 성질은 하나의 자원으로서 부족함이 없다. 너무나 많은 일이 이미 일어났고 고정불변인 것들이 그렇게 많아 보이는데도 여전히 움직이는 무수한 내재적 힘들이 자욱하니 말이다.[17]

이건 유토피아가 아니다. 성취되어야 할 도전이거나 실현되어야 할 이상이 아니라 감응의 어떤 상태, 아직 드러나지 않았지만 어쨌든 일어나고 있는 어떤 것에 끊임없이 반응하는 상태이다.

시작

이 책은 움직이는 힘들이 숱한 장면과 주체에, 마주침에, 또는 가로막힌 기회에, 또는 이미 만들어진 환경의 평범성 안에 어떻게 내재하는가를 다룬다.
이 책은 또한 이론적이고 구체적인 조율의 필요성을 이야기한다. 생각이란 주어진 '삶의 방식'에서 불가피하게 흘러나오는 그런 종류의 것이 아니라, 자신도 모르게 따르고 있던 잠재적 궤도들에서 날아오르는 것에 가깝다는 사실을 넌지시 주장한다.
이 책은 결말을 내려 하지 않는다. 이 책은 너무나 많은 가능한 장면을 그들 간에 그어진 너무나 많은 실질적 연결선과 더불어 펼쳐내고 싶어 한다. 이 책을 쓰면서 나는(그리고 내가 하는 실험은) 힘과 짜임새에 대한 감각을 얻었다. 동시에 내가 엿볼 수 있었던 모든 장면이 내가 간신히 그려볼 수 있거나 아니면 잘 상상하기 어려운 것들에 잇닿아 있음을 확실히 알게 되었다. 그런데 나는 이미 그걸 알고 있었다. 세상은 여전히 실험적이고 강렬하고 압도적이고 살아 있다. 좋고 나쁘고의 일이 아니다. 세상이 잘 굴러가고 있다는 게 아니라, 세상이 '굴러가고 있다'는 것이 나의 견해다. 나는 세상의 한복판에 있으려 노력하면서, 어쨌든 딱히 믿은 적도 없는 권위 있는 해답들을 손에서 내려놓으려 애썼다.

일상적 정동은 힘을 가지는 어떤 종류의 격동, 마찰, 관계이다.[18] 개인의 한계를 뛰어넘거나 개인에 우선한다. 한 사람의 감정이 다른 사람의 감정이 되는 것에 관한 게 아니라, 말 그대로 서로에게 영향을 주고 강도强度를 일으키는 실체들에 관한, 즉 인간의 몸체, 논증의 몸체, 사상의 몸체, 물의 몸체에 관한 것이다.[19]

사람들은 늘 내게 말한다. "나도 책을 쓸 수 있었는데." 이 말은 그러니까 그들이 그러지 못했고 그러고 싶어 하지도 않을 것이며, 어디서 시작해야 할지 또는 어떻게 끝내야 할지 모른다는 뜻이다. 저 말은 잠재성이 농후한 시작을 향한 몸짓이다. 그들에겐 이야기가 있고, 이야기에 딸린 이야기가, 이리저리 얽힌 관계의 망이, 층층이 쌓인 충돌과 반응의 역사가 있다. "나도 책을 쓸 수 있었는데"라는 지나가는, 의례적인 주장은 감수성과 사회성과 사건들에 의미를 주는, 불완전하지만 아주 진실한 어떤 것을 돌보는 방식들의 감각을 가리킨다. 그 말은 답변의 선명함을 향해서가 아니라 앎의 질감을 향해 신호를 보낸다. 결국, 삶이라는 건 여전히 하나의 문제이고 결론 없는 질문이다. 호기심의 대상이다.

아리아나는 이제 네 살이다. 아이는 뭐든 제힘으로 하려고 한다. 직접 책을 읽거나 고양이 화장실을 청소해볼 기회가 오지 않을까 봐 걱정될 때면 "내가! 내가!! 엄마 아니고 내가"를 외친다. 그러고는 작게 헛기침을 하며 집중한다. 아이는 자기가 그 일을 할 수 있는지, 또는 자기가 하려는 그 일이 정확하게 무슨 일인지 알지 못한다. 내 어머니 클레어는 경미한 뇌졸중을 몇 차례 겪고 회복 중이다. 어머니도 할 수 있을지 없을지 모르면서 어쨌든 혼자 힘으로 해보려고 나선다. 간단한 일들에도 시간과 집중과 정교함이 소요된다. 하지 말고 놔둬야 하는 일도 있다. 아니면 다른 해결책을 찾아내야 하거나. 치명적인 좌절을 맛보기도 하지만 노력을 하는 그 상태 자체에 뭔가 핵심적이고도 명백한 즐거움이 있다. 가능성을 향한 충동이다.

아리아나와 클레어의 이런 '내 힘으로 하고 싶다' 충동은 결과에 상관없이 일단 해보겠다는 투기적 충동이다. 이 책과 마찬가지로 그저 시작일 뿐이고, 이제 고작 선 하나 그었을 뿐이다. 하지만 보장과 위협이라는 정서의 선들로 채워진 일상에서 중요한 것은 바로 그 시작이다.

감사의 말

뉴멕시코주 산타페에 소재한 고등연구소(구 미국학연구소)에서 연구년을 보낼 수 있도록 해준 국가인문학기금과 캘리포니아주 오렌지카운티에 있는 인문학연구소에서 6개월을 보내도록 해준 캘리포니아대 어빈 캠퍼스, 학장 연구기금과 연구년을 준 텍사스대에 감사를 표한다.
이 책의 여러 조각들이 조금씩 다른 형태로 이미 발표된 적이 있다. 발표된 곳은 다음과 같다.

Annual Review of Anthropology 28(1999); *Intimacy*, ed. Lauren Berlant(Chicago: University of Chicago Press, 2000); *Cultural Studies and Political Theory*, ed. Jodi Dean(Ithaca: Cornell University Press, 2000); *Cross Cultural Poetics* 3, no. 3(2000); *Modernism, Inc.: Essays on American Modernity,* ed. Jani Scanduri and Michael Thurston(New York: New York University Press, 2002); "Public Sentiments: Memory, Trauma, History, Action", ed. Ann Cvetkovich and Ann Pelegrini, *Scholar and Feminist Online* 2 특별호, no. 1(2003); *Aesthetic Subjects: Pleasures, Ideologies, and Ethics,* ed. Pamela Matthews and David McWhirter(Minneapolis: University of Minnesota Press, 2003); *Transparency and Conspiracy: Ethnographies of Suspicion in the New World Order,* ed. Harry G. West and Todd Sanders(Durham, N00.C.: Duke University Press, 2003); *Histories of the Future,* ed. Susan Harding and Daniel Rosenberg(Durham, N.C.: Duke University Press,2005); *Handbook of Qualitative Research,* ed. Norman Denzin and Yvonna Lincoln(London: Sage, 2005); and "Uncharted Territories: An Experiment in Finding Missing Cultural Pieces", ed. Orvar Lofgren, *Ethnologia Europea: Journal of European Ethnology* 1 특별호, no. 2(2005).

많은 이들이 이 책의 조금씩 다른 형태를 전부 또는 일부 읽거나 들어주었다. 특히 베고냐 아레차가, 로런 벌랜트, 제임스 클리포드, 앤 츠베트코비치, 스티븐 펠드, 도나 해러웨이, 수전 하딩, 메리 허포드, 로라 롱, 제이슨 파인, 그

레천 리터, 베시 테일러, 그레그 어번, 스콧 웨벌에게 깊은 감사의 마음을 보낸다. 애초에 이 책을 쓰도록 내게 영감을 준 것은 대니얼 웹의 삶과 이야기들이었다. 아직도 동네 사람들이 그리워하는 앤드루 커시도 훌륭한 이야기 몇 편을 들려주었고, 직접 본 적은 없지만 여전히 확고한 존재감을 과시하는 페니 밴 혼도 한 편을 제공했다. 내 어머니 클레어와 형제들인 프랭크와 마이클도 각자 이야기 한 편씩을 보탰다. 다른 가족 구성원들도 이 책이 기반하고 있는 정서적, 서사적 토대를 만들었고 계속 만들고 있다. 텍사스대 '공적 느낌 그룹'은 지금껏 내가 몸담은 학문 공동체 중에서 지적으로 또 정서적으로 가장 큰 자극을 주는 학문의 현장이었다. 아주 오래전에 이 프로젝트가 어떤 의미인지를 알아주고, 침착하고도 확고하게 곁에서 기다려준 켄 위소커에게 감사한다. 론 듈러, 존 듈러, 아리아나 스튜어트는 날이면 날마다 우아함과 웃음과 분노의 비명과 눈알 굴리기와 속삭임과 두통과 산란함과 훼방과 미소(또는 뭔가 안다는 듯한 능글맞은 웃음) 띤 눈빛을 안고 주변을 뱅뱅 돌았다. 고마울 따름이다.

미주

1 다음을 참조하라. Lauren Berlant, *Cruel Optimism*(Duke University Press Books, 2011). 욕망의 대상과 현장이 단지 내용 때문만이 아니라 마주친 그 순간의 계약을 담고 있기 때문에, 또 그 대상과 현장이 그것에 매료된 감정의 덩어리 전체를 유지하는 수단이 되기 때문에 중요하다는 점을 훌륭하게 다룬 책이다.

2 Gilles Deleuze and Félix Guattari, *Anti-Oedipus: Capitalism and Schizophrenia*, vol.1, trans. Brian Massumi(Minneapolis: University of Minnesota Press, 1983), *A Thousand Plateaus: Capitalism and Schizophrenia*, vol.2, trans. Robert Hurley, Mark Seem, and Helen R. Lane(Minneapolis: University of Minnesota Press, 1987).

3 어떤 것 '안'에 있다고 느끼고 싶어 하거나 '무언가 중요한 것'을 인식할 수 있다고 느끼고 싶어 하는, 추상적이지만 경험적인 욕망에 대한 논의는 다음을 참조하라. Lauren Berlant, "Introduction", *Intimacy*(Chicago: University of Chicago Press, 2000), "Nearly Utopian, Nearly Normal: Post-Fordist Affect in *Rosetta* and *La Promesse*"(*Public Culture*, forthcoming), "Slow Death"(*Critical Inquiry*,

forthcoming).

4 Raymond Williams, *Marxism and Literature*(New York: Oxford University Press, 1977), pp.132-133.

5 Roland Barthes, "The Third Meaning: Research Notes on Some Eisenstein Stills", *The Responsibility of Forms: Critical Essays on Music, Art, and Representation*, trans. Richard Howard(Berkeley: University of California Press, 1985), p.318.

6 자본주의가 어떻게 생명에 '살아 있는 표면'을 형성하는지에 대해서는 다음을 참조하라. Nigel Thrift, *Knowing Capitalism*(London: Sage, 2005).

7 연결을 만들기 위해 작동하는 분석에 관한 논의는 다음을 참조하라. John Rajchman, *The Deleuze Connections*(Cambridge, Mass.: MIT Press, 2000), pp.4-13.

8 Michael Warner, *Publics and Counterpublics*(New York, Zone Books, 1997).

9 '친밀한 대중'에 관한 논의는 다음을 참조하라. Lauren Berlant, *The Queen of America Goes to Washington City: Essays on Sex and Citizenship*(Durham, N.C.: Duke University Press, 1997).

10 Alphonso Lingis, "The Society of Dismembered Body Parts", *Deleuze and the Theatre of Philosophy*, ed. Constantin Boundas and Dorothea Olkowski(New York: Routledge, 1993), p.296.

11 *This Is Nowhere*(Missoula, Mont.: High Plains Films, 2000).

12 Eve Kosofsky Sedgwick, "Epidemics of the Will", *Tendencies* (Durham, N.C.: Duke University Press, 1993).

13 Sedgwick, "Epidemics of the Will", pp.130-142.

14 모든 '세상에 대한 믿음'이 어떻게 감각에 깃드는지에 관한 논의는 다음을 참조하라. John Rajchman, *The Deleuze Connections*, pp.140-144.

15 Alphonso Lingis, *Trust*(Minneapolis: University of Minnesota Press, 2004), p.65.

16 Agnes De Mille, *Dance to the Piper*(Boston: Little, Brown, 1952), p.335.

17 자원으로서의 일상이 지닌 미완의 성질이라는 언급은 다음에 나온다. John Rajchman, *The Deleuze Connections*(Cambridge, Mass.: MIT Press, 2000).

18 Anna Tsing, *Friction: An Ethnography of Global Connection*(Princeton, N.J.: Princeton University Press, 2005). 애나 칭은 차이를 넘나드는 만남과 상호 연결이 지닌, 어색하고 뒤죽박죽이고 불평등하고 불안정하고 놀랍고 창조적인 성질들이 우리의 문화적 생산 모델을 보여준다고 말한다.

19 Deleuze and Guattari, *A Thousand Plateaus*.

참고 문헌

Barthes, Roland. *A Lover's Discourse*. New York: Hill and Wang, 1979.

Barthes, Roland. *S/Z: An Essay*. New York: Hill and Wang, 1991.

Barthes, Roland. "The Third Meaning: Research Notes on Some Eisenstein Stills", *The Responsibility of Forms: Critical Essays on Music, Art, and Representation*, Trans. Richard Howard. Berkeley: University of California Press, 1985.

Benjamin, Walter. *The Arcades Project*. Trans. H. Eiland and K. McLaughlin. Cambridge, Mass.: Harvard University Press, 1999.

Berlant, Lauren. "Cruel Optimism", *Differences* (forthcoming).

Berlant, Lauren. "Introduction", *Intimacy*, ed. Lauren Berlant. Chicago: University of Chicago Press, 2000.

Berlant, Lauren. "Nearly Utopian, Nearly Normal: Post-Fordist Affect in *Rosetta* and *La Promesse*", *Public Culture* (forthcoming).

Berlant, Lauren. *The Queen of America Goes to Washington City: Essays on Sex and Citizenship*. Durham, N.C.: Duke University Press, 1997.

Berlant, Lauren. "Slow Death", *Critical Inquiry* (forthcoming).

Deleuze, Gilles, and Félix Guattari. *Anti-Oedipus: Capitalism and Schizophrenia*, vol.1. Trans. Robert Hurley, Mark Seem, and Helen R. Lane. Minneapolis: University of Minnesota Press, 1983.

Deleuze, Gilles, and Félix Guattari. *A Thousand Plateaus: Capitalism and Schizophrenia*, vol. 2. Trans. Brian Massumi. Minneapolis: University of Minnesota Press, 1987.

De Mille, Agnes. *Dance to the Piper*, Boston: Little, Brown, 1952.

Hacking, Ian. *Rewriting the Soul: Multiple Personality and the Sciences of Memory*. Princeton, N.J.: Princeton University Press, 1998.

Harding, Susan, and Kathleen Stewart. "Anxieties of Influence: Conspiracy Theory and Therapeutic Culture in Millennial America", *Transparency and Conspiracy: Ethnographies of Suspicion in the New World Order*, ed. Harry West and Todd Sanders. Durham, N.C.: Duke University Press, 2003.

Hosseini, Khaled. *The Kite Runner*. New York: Riverhead Books, 2003.

Jones, Edward P. *The Known World*. New York: HarperCollins, 2003.

Lingis, Alphonso. *Dangerous Emotions*. Berkeley: University of California Press, 2000.

Lingis, Alphonso. *Foreign Bodies*. New York: Routledge, 1994.

Lingis, Alphonso. "The Society of Dismembered Body Parts", *Deleuze and the Theatre of Philosophy*, ed. Constantin Boundas and Dorothea Olkowski. New York: Routledge, 1993.

Lingis, Alphonso. *Trust*. Minneapolis: University of Minnesota Press, 2004.

Lutz, Tom. *American Nervousness, 1903: An Anecdotal History*. Ithaca, N.Y.: Cornell University Press, 1993.

MacDonald, Andrew. *The Turner Diaries*. Fort Lee, N.J.: Barricade Books, 1996.

McEwen, Ian. *Atonement*. New York: Anchor Books, 2003.

Searcy, David. *Ordinary Horror*. New York: Viking, 2000.

Sedgwick, Eve Kosofsky. "Epidemics of the Will", *Tendencies*. Durham, N.C.: Duke University Press, 1993.

Sparks, Nicholas. *The Notebook*. New York: Warner Books, 1996.

Stern, Leslie. *The Smoking Book*. Chicago: University of Chicago Press, 1999.

Stevens, Wallace. "July Mountain", *Opus Posthumous: Poems, Plays, Prose*. New York: Knopf, 1989.

Stewart, Kathleen. "Arresting Images", *Aesthetic Subjects: Pleasures, Ideologies, and Ethics*, ed. Pamela Matthews and David McWhirter. Minneapolis: University of Minnesota Press, 2003.

Stewart, Kathleen. "Cultural Poesis: The Generativity of Emergent Things", *Handbook of Qualitative Research*, 3rd ed., ed. Norman Denzin and Yvonna Lincoln. London: Sage, 2005.

Stewart, Kathleen. "Death Sightings", *Cross Cultural Poetics 3*, no. 3(2000): 7-11.

Stewart, Kathleen. "Machine Dreams", *Modernism, Inc.: Essays on American Modernity*, ed. Jani Scanduri and Michael Thurston. New York: New York University Press, 2002.

Stewart, Kathleen. "The Perfectly Ordinary Life", "Public Sentiments: Memory, Trauma, History, Action", ed. Ann Cvetkovich and Ann Pelegrini. Special issue of *Scholar and Feminist Online* 2, no.1. summer 2003.

Stewart, Kathleen. "Real American Dreams (Can Be Nightmares)", *Cultural Studies and Political Theory*, ed. Jodi Dean. Ithaca, N.Y.: Cornell University Press, 2000.

Stewart, Kathleen. "Still Life", *Intimacy*, ed. Lauren Berlant. Chicago: University of Chicago Press, 2000.

Stewart, Kathleen. "Where the Past Meets the Future and Time Stands Still", *Histories of the Future*, ed. Susan Harding and Daniel Rosenberg. Durham, N.C.: Duke University Press, 2005.

Stewart, Kathleen, and Susan Harding. "American Apocalypsis", *Annual Review of Anthropology* 28, 1999, pp.285-310.

Taussig, Michael. *The Magic of the State.* New York: Routledge, 1997.

Taussig, Michael. *My Cocaine Museum.* Chicago: University of Chicago Press, 2004.

This Is Nowhere, a documentary film. Missoula, Mont.: High Plains Films, 2000.

Thrift, Nigel. *Knowing Capitalism.* London: Sage, 2005.

Tsing, Anna. *Friction: An Ethnography of Global Connection*. Princeton, N.J.: Princeton University Press, 2005.

Waldie, D.J. *Holy Land: A Suburban Memoir.* New York: Norton, 1996.

Warner, Michael. *Publics and Counterpublics.* New York: Zone Books, 2003.

Williams, Raymond. *Marxism and Literature.* New York: Oxford University Press, 1977.

옮긴이 신해경

서울대학교 미학과를 졸업하고 KDI국제정책대학원에서 경영학과 공공정책학(국제관계) 석사과정을 마쳤다.
생태와 환경, 사회, 예술, 노동 등 다방면에 관심을 두고 있으며, 옮긴 책으로는 『글쓰기 사다리의 세 칸』, 『저는 이곳에 있지 않을 거예요』, 『어떤 그림』, 『풍경들: 존 버거의 예술론』, 『누가 시를 읽는가』, 『야자나무 도적』, 『사소한 정의』 등이 있다.

투명한 힘

꿈, 유령 혹은 우리가 일상이라고 부르는 것

초판 1쇄 펴냄 2022년 1월 31일

지은이 캐슬린 스튜어트
옮긴이 신해경

펴낸곳 풍월당
출판등록 2017년 2월 28일, 제2017-000089호
주소 [06018] 서울시 강남구 도산대로 53길 39, 4층
전화 02-512-1466
팩스 02-540-2208
홈페이지 www.pungwoldang.kr

기획 최원호
편집 심재경, 황유정
디자인 성윤정, 이솔이

ISBN 979-11-89346-32-4 03300

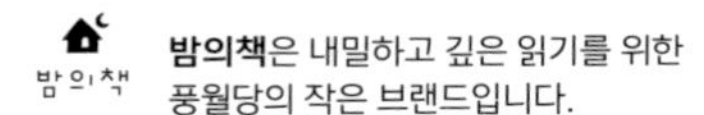